BIONICLE®

L'épreuve du feu

BIONICLE®

TROUVE LE POUVOIR,
VIS LA LÉGENDE.

La légende prend vie dans ces livres passionnants
de la collection BIONICLE® :

BIONICLE®

L'épreuve du feu

Greg Farshtey

Texte français d'Hélène Pilotto

Éditions
∎SCHOLASTIC

Pour Heidi, ma meilleure amie.
C'est une grande joie de te connaître.
— G.F.

Catalogage avant publication de Bibliothèque
et Archives Canada

Farshtey, Greg
L'épreuve du feu / Greg Farshtey;
texte français d'Hélène Pilotto.
(Bionicle)
Traduction de : Trial by Fire.
Pour les jeunes de 9 à 12 ans.
ISBN 0-439-95854-7

I. Pilotto, Hélène II. Titre. III. Collection.

PZ23.F28Epr 2005   j813'.54
C2004-907358-3

Édition publiée par les Éditions Scholastic,
175 Hillmount Road, Markham (Ontario) L6C 1Z7.

5 4 3 2 1   Imprimé au Canada   05 06 07 08

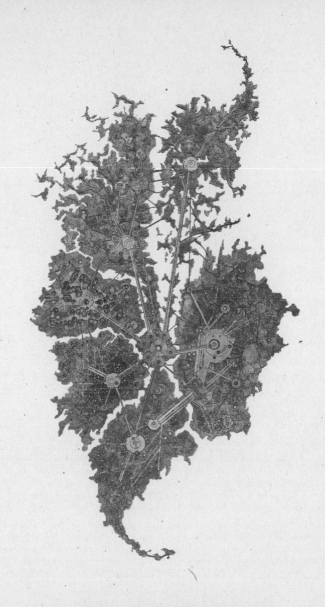

La cité de Metru Nui

BIONICLE®

L'épreuve du feu

INTRODUCTION

Tahu Nuva, le Toa du feu, avait peine à accepter tout ce qu'il venait d'entendre. Pourtant, il avait déjà eu plusieurs fois l'occasion d'écouter Turaga Vakama, le sage du village de Ta-Koro, raconter les légendes d'un passé glorieux. Mais jamais il n'avait entendu une histoire pareille.

Il avait demandé au Turaga de lui faire le récit, à lui et aux autres héros Toa, d'une des légendes de la cité de Metru Nui. En effet, les Toa mèneraient bientôt les Matoran vers cette nouvelle île et ils voulaient se préparer contre tout danger qu'ils pourraient rencontrer là-bas.

Vakama avait raconté des choses étonnantes. Il avait expliqué qu'il y avait bien longtemps, lui et les sages des autres villages avaient été des Matoran, habitants de la grande cité de Metru Nui. Par un étrange coup du destin, le pouvoir de Toa leur avait été octroyé et une grave mission leur avait été confiée : sauver la cité en danger.

— Nous croyions que Metru Nui était le paradis, avait dit Vakama, mais la cité était assiégée. Une plante redoutable appelée la Morbuzakh l'attaquait de tous bords, détruisant les bâtiments et forçant les Matoran à fuir leurs maisons. Si nous n'avions rien fait, elle aurait anéanti notre chère cité.

Mais comment sauver la cité? Vakama avait trouvé la réponse dans une vision. Les Toa Metru devaient dénicher six Matoran qui connaissaient l'emplacement secret des Grands disques. Utilisés ensemble, ces six disques pouvaient venir à bout de la Morbuzakh. La tâche semblait simple. Pour les six nouveaux Toa, c'était l'occasion rêvée de prouver à tous les habitants de Metru Nui qu'ils méritaient bel et bien d'être appelés des héros.

Les six Toa avaient dû affronter plusieurs dangers avant de trouver les Matoran. Ne maîtrisant pas encore bien leurs pouvoirs, ils avaient échappé de justesse aux pièges qui avaient jalonné leur route. Il était devenu évident que l'un des Matoran avait l'intention de trahir les autres, et toute la cité de Metru Nui par le fait même.

L'épreuve du feu

C'était là que Vakama avait laissé son récit. Les Toa s'étaient maintenant réunis autour de lui pour entendre la suite de cette étrange histoire.

Gali Nuva, la Toa de l'eau, s'approcha doucement du sage et posa la main sur son épaule.

— Êtes-vous prêt à continuer, Turaga? demanda-t-elle. Devrions-nous choisir un autre moment?

Vakama hocha la tête.

— Non, Toa Gali. On vous a caché ces choses depuis trop longtemps déjà. Il est temps de parler. Mais… ce n'est pas facile.

— Vous disiez avoir eu la certitude que l'un des six Matoran était un traître, dit Tahu, Toa du feu. Pourquoi ne l'avez-vous pas remis aux mains des forces de l'ordre de Metru Nui, les… comment les appeliez-vous encore?

— Les Vahki, répondit Vakama. Nous n'avions pas le choix. Ces six Matoran étaient les seuls à connaître l'emplacement des Grands disques et il nous fallait ces disques. Mais nous savions que nous devions nous méfier des traîtres.

— Continuez, Turaga, supplia Pohatu. Racontez-nous la suite, s'il vous plaît.

— Très bien, Toa de la pierre, répondit Vakama. Où en étais-je? Ah oui, ça me revient. Nous, les Toa Metru, avions trouvé les six Matoran qui allaient nous aider à localiser les Grands disques. Le temps pressait : chaque jour, la Morbuzakh gagnait du terrain et détruisait la cité un peu plus. Nous décidâmes de nous séparer en équipes et d'amener les Matoran avec nous. Bien sûr, cette idée ne plut pas à tout le monde…

— La prochaine fois, c'est moi qui formerai les équipes, grommela Onewa, le Toa Metru de la pierre.

Depuis près d'une heure, il avançait péniblement derrière Vakama, le Toa du feu, et les deux Matoran. Il ne se souciait pas de garder sa mauvaise humeur pour lui.

Nuhrii ne disait rien. Il mettait toute son énergie à trouver les disques. Il était originaire de Ta-Metru. Il se voyait déjà couvert de gloire pour sa contribution à la sauvegarde de la cité. Peut-être même qu'un jour, on nommerait un masque de puissance en son honneur. Et qui sait, Turaga Dume, le Grand chef suprême de Metru Nui, voudrait peut-être d'un Matoran aussi courageux que lui comme conseiller?

L'autre Matoran se nommait Ahkmou. C'était un sculpteur de Po-Metru. Se retournant vers Onewa, il dit :

— Depuis quand Onewa suit-il les règles? Tu t'es assagi en devenant un Toa Metru? Débarrasse-toi de ces deux cracheurs de feu et trouvons plutôt les

5

Grands disques par nous-mêmes.

— Encore un de tes pièges, grogna Onewa. Ne crois pas que j'ai déjà oublié combien ça a été difficile de t'attraper, Ahkmou. Ma méfiance envers toi est aussi grande que le Grand temple.

Vakama fut tenté de dire aux deux Po-Matoran de se taire, mais cela envenimerait probablement les choses. Peut-être avait-il fait une erreur en utilisant les disques Kanoka pour désigner les équipes. Il faut dire que c'était la façon la plus simple de le faire. Comme les Matoran utilisaient les disques pour le sport, on les trouvait partout. Chaque disque portait un code à trois chiffres. Il avait donc été décidé que les deux codes les plus bas formeraient une équipe, les deux codes les plus hauts une autre, et ainsi de suite. C'était dommage qu'il soit tombé sur Onewa : il n'arrivait pas du tout à s'entendre avec lui.

Ils avaient franchi la limite de Ta-Metru depuis peu. Nokama, la Toa de l'eau, avait découvert, gravée sur le mur du Grand temple, une série d'indices menant aux emplacements des Grands disques. Selon ces inscriptions, il fallait « côtoyer la racine du feu » pour trouver le Grand disque de Ta-Metru. Vakama et Nuhrii savaient tous deux ce que cela signifiait, mais ni l'un ni l'autre ne voulait en parler.

L'épreuve du feu

Onewa et Ahkmou regardèrent autour d'eux, mal à l'aise. Leur metru natal était reconnu pour ses vastes et plates étendues où d'imposantes sculptures étaient fabriquées et conservées. Ta-Metru était, au contraire, une terre de feu, où des rivières de protodermis en fusion étaient transformées en masques, outils et autres objets. Les bâtiments étaient entassés les uns sur les autres, et tous reflétaient la lueur rougeâtre des fourneaux. Le son produit par les outils des artisans frappant en cadence et le sifflement des masques qui refroidissaient semblait venir de toutes parts.

— J'ai besoin de faire une pause, déclara Ahkmou. J'ai mal aux pieds.

— Moi aussi, renchérit Nuhrii. Pourquoi n'utilisons-nous pas les toboggans?

Vakama fronça les sourcils. Il avait insisté pour faire le voyage à pied et Onewa avait approuvé son idée. Il aurait été trop facile pour l'un des Matoran – ou les deux – de sauter d'un toboggan et de disparaître dans les rues et les ruelles.

— D'accord, dit-il. Restez ensemble et ne bougez pas d'ici.

Les deux Matoran s'assirent. Vakama s'éloigna, pensant qu'Onewa les surveillerait, mais le Toa de la pierre le suivit.

— Sais-tu où nous allons? demanda-t-il. Qu'est-ce donc que cette « racine du feu »?

Vakama montra d'un geste les bâtiments qui les entouraient.

— Les flammes qui alimentent le Grand fourneau de Ta-Metru, les fourneaux plus petits, ainsi que les forges viennent de puits à feu… les « racines » du feu, si tu préfères. Ce sont des endroits très dangereux.

— Laisse-moi deviner, reprit Onewa. Comme il est interdit par la loi de Ta-Metru de grimper dans l'un de ces puits à feu, nous devons nous attendre à avoir des brigades de Vahki sur les talons.

— Probablement.

— J'espère que tu sais ce que tu fais, lança Onewa. Sinon, c'est la dernière fois que je te fais confiance, cracheur de feu.

Vakama sentit la colère monter en lui et, cette fois, il ne tenta pas de la réprimer.

— As-tu une meilleure idée? Ces six disques sont la seule chose qui puisse sauver Metru Nui. Si nous échouons, toute la cité tombera aux mains de… la Morbuzakh!

Le Toa Metru du feu désigna quelque chose derrière Onewa, mais son avertissement vint trop tard. Un sarment de vigne de la Morbuzakh surgit d'un toboggan et s'enroula autour d'Onewa, soulevant le Toa, surpris, dans les airs.

— Mes bras sont coincés! cria le Toa de la pierre. Je suis pris!

— Tiens bon! Je vais te délivrer! répondit Vakama en insérant un disque dans son lanceur de disques.

— Tiens bon? Me tenir après quoi?

La Morbuzakh entraînait Onewa vers le toboggan. Une fois à l'intérieur, il serait trop tard pour le délivrer.

Vakama visa soigneusement et projeta son disque en direction de la plante. Quand le disque la toucha, un froid glacial se répandit le long de la tige et gela celle-ci en un bloc solide. La pression sur Onewa s'étant relâchée, celui-ci réussit à se dégager. Il tomba sur le sol. Son regard alla de la plante à Vakama.

— Bon, eh bien… marmonna-t-il. J'aurais pu le faire moi-même… j'imagine.

Il balança mollement un coup de poing à la plante gelée, qui se brisa en mille glaçons.

Vakama fit demi-tour et se dirigea vers l'endroit où les Matoran les attendaient, en lançant à l'intention d'Onewa :

— Débrouille-toi seul la prochaine fois! Peut-être qu'elle s'enfuira si tu grondes.

— Ça n'a pas marché avec toi, répliqua Onewa.

Vakama ne répondit pas. L'endroit où ils avaient laissé Nuhrii et Ahkmou était désert. Le Toa eut un mauvais pressentiment. S'il fallait que les deux Matoran aient disparu...

— Là-bas! cria Onewa.

Il montrait du doigt les fuyards, qui couraient en direction de Po-Metru. Le Toa de la pierre fit tourner son proto-piton au-dessus de sa tête et exécuta un lancer parfait, de façon à ce que le câble s'enroule autour des jambes d'Ahkmou. Tout sourire, Onewa commença à ramener le Po-Matoran vers lui, tel un pêcheur remontant sa prise.

— Joli coup, dit Vakama. Mais il y a une façon plus simple d'y arriver.

Il choisit un disque de téléportation, vérifia son code à trois chiffres pour s'assurer que celui-ci était de faible puissance et le projeta avec force à l'aide de son lanceur. Le disque frappa Nuhrii sur le côté et le Ta-Matoran disparut. L'instant d'après, il réapparut devant les deux Toa.

— Vous ne me semblez pas si fatigués, après tout, railla Vakama. Allez, en route!

— As-tu déjà visité ces puits à feu? demanda Onewa.

L'épreuve du feu

— Non, répondit Vakama à voix basse. Même les fabricants de masques n'ont pas le droit de s'en approcher. C'est trop dangereux.

— Des Matoran pourraient s'y brûler?

— Pas seulement ça, dit Vakama. Si quelque chose arrivait aux flammes de ces puits, c'est toute la production de Ta-Metru qui serait interrompue.

Voyant l'absence de réaction de la part d'Onewa, il ajouta :

— Les Po-Matoran n'auraient plus rien à sculpter.

Ils marchaient lentement vers le centre de la cité, en évitant le plus possible les rues achalandées. Onewa insista pour que les deux Matoran restent près d'eux pendant qu'il balayait du regard les ruelles. Vakama n'eut pas à demander pourquoi. Tous deux sentaient qu'ils étaient suivis.

À un moment donné, alors qu'ils venaient tout juste de tourner le coin d'une rue, Onewa leur fit signe de se plaquer contre le mur. Ils attendirent ainsi un long moment, mais personne ne passa, à part quelques Matoran. Finalement, Onewa jeta un coup d'œil sur la rue d'où ils étaient venus et secoua la tête.

— Personne, dit-il.

— Qui est-ce, d'après toi? demanda Ahkmou.

— Devine, répondit Onewa.

BIONICLE®

Une créature à quatre pattes du nom de Nidhiki pourchassait Ahkmou quand Onewa l'avait trouvé. La même puissante créature avait commis des actes de sabotage et tendu de nombreux pièges aux autres Toa Metru pendant qu'ils étaient à la recherche des Matoran. Qui que ce fût, cet être voulait à tout prix empêcher les Toa de trouver les Grands disques.

— Nous devrions peut-être changer de chemin, suggéra Vakama. Nous pourrions prendre un raccourci à travers…

— …le fourneau du Centre de réclamation du protodermis, termina Nuhrii. La sortie arrière nous mènerait tout près des puits à feu.

— Guide-nous, ordonna Onewa. Toutes ces flammes, tous ces feux et tous ces fourneaux me semblent du pareil au même.

Le fourneau du Centre de réclamation du protodermis était relativement petit par rapport aux autres fourneaux de Ta-Metru, mais ses feux étaient aussi redoutables et ils ne manquaient pas de choses à brûler. On envoyait ici, pour les faire fondre, les masques, outils et objets défectueux qui avaient été apportés au Centre de réclamation. Le protodermis liquide qui en résultait était ensuite renvoyé par des canaux d'alimentation vers les forges, où il pouvait être utilisé de nouveau. Ce qui entrait dans le fourneau était à peine mieux que des rebuts, mais ce qui en sortait pouvait devenir quelque chose de magnifique entre les mains d'artisans talentueux.

L'endroit était le raccourci idéal pour atteindre les puits à feu, car il fonctionnait par lui-même. Très peu de Matoran travaillaient ici, peut-être même aucun. Le lieu serait sûrement désert. Même les Nuurakh, les brigades Vahki de Ta-Metru, ne se donnaient pas la peine de venir jusqu'ici. Après tout, qui voudrait voler des déchets?

Ils empruntèrent l'entrée sur le côté du bâtiment. Vakama passa devant. À l'intérieur, la seule lumière était celle provenant des flammes du fourneau. Une large passerelle courait le long des quatre murs qui surplombaient une longue rampe de décharge. La rampe traversait le bâtiment en son centre, transportant les objets de la cour directement dans le feu. L'air ambiant était alourdi par la fumée et l'odeur du protodermis en fusion.

Onewa s'approcha au bord de la passerelle et jeta un coup d'œil en bas. Il n'avait jamais rien vu de tel. Dans son quartier de Po-Metru, les objets arrivaient déjà formés et les sculpteurs s'occupaient de la finition. Cela lui semblait incroyable, et même un peu affolant, de voir des masques et des outils être acheminés lentement vers la destruction.

— Je ne peux pas dire que j'aime cet endroit, fit Vakama, qui s'était approché, lui aussi.

— Pourquoi?

— Il nous empêche d'apprendre de nos erreurs. Nous nous contentons de les faire fondre et de nous en débarrasser.

— Toa! Attention!

Ni Vakama ni Onewa n'eurent le temps de réagir au cri de Nuhrii. Une double rafale d'énergie les frappa de plein fouet, les faisant basculer par-dessus la passerelle et à travers les murs énergisés de la rampe de décharge. Ils tombèrent sur une surface dure et restèrent là, assommés, pendant que la rampe les rapprochait peu à peu des flammes.

Nidhiki sortit de l'ombre. Les deux Matoran s'étaient enfuis, mais il aurait bien le temps de les rattraper plus tard. Pour le moment, il voulait savourer sa victoire sur les deux Toa Metru. Il se pencha pour regarder les formes inanimées de Vakama et Onewa, son rire sinistre se mêlant au crépitement des flammes.

Nuju, le Toa Metru de la glace, et Whenua, le Toa Metru de la terre, se déplaçaient lentement et en silence le long d'un corridor sombre. Autour d'eux, des yeux figés, à jamais suspendus dans le temps, semblaient suivre leur progression. Les plus effrayantes créatures ayant foulé le sol de Metru Nui étaient conservées ici, dans les Archives d'Onu-Metru. C'était un musée vivant pour les étudiants Matoran.

Nuju prit un air renfrogné quand ils traversèrent les derniers d'une interminable série de couloirs, remplis de vieux présentoirs poussiéreux. Avant d'être un Toa, Nuju avait eu un tout autre travail : celui de scruter le ciel à la recherche d'indices sur l'avenir de Metru Nui. Aussi, pour lui, les Archives n'étaient rien d'autre qu'un monument dédié à un passé révolu.

— Je n'aurais jamais cru que cet endroit était si vaste, grommela-t-il.

— Il est aussi vaste qu'il mérite de l'être, répliqua Whenua avec fierté. Nous avons dû ajouter deux niveaux inférieurs récemment. Un jour, les sections souterraines s'étaleront dans toutes les directions, jusqu'à la mer!

— Pourquoi s'arrêter là? Pourquoi ne pas démolir le reste du metru et transformer toute la cité en un musée poussiéreux?

Whenua lança un regard irrité à Nuju.

— Ce serait probablement mieux que de perdre du temps et de l'espace à essayer de prédire des lendemains qui ne viendront peut-être jamais, répondit-il.

Nuju hocha la tête de droite à gauche. Ils avaient eu ce genre de discussion plusieurs fois depuis leur départ de Ga-Metru, à la recherche des Grands disques. C'était sans issue : aucun des deux ne réussirait à faire changer l'autre d'avis.

— Et si nous vivions tous les deux dans le présent pour un moment? Crois-tu que c'était sage de laisser Tehutti et Ehrye seuls là-haut? Et s'ils décidaient de s'enfuir?

— Nous les avons laissés dans une section des Archives que Tehutti n'a jamais visitée. Même le meilleur des archivistes se perdrait en essayant de retrouver son chemin dans une aile qui ne lui est pas familière, et il le sait. Oh, regarde-moi ça! Nous avons trouvé ce bras insectoïde en creusant le niveau inférieur 6. Ce n'est pas celui d'un Bohrok, mais nous ignorons à qui il a bien pu appartenir.

Nuju sourit. C'était probablement trop demander à Whenua que de cesser de faire le guide. Même devant un danger – la cité menacée par la Morbuzakh, une poignée de Matoran détenant la clé pour l'anéantir – Whenua demeurait un archiviste jusqu'au plus profond de son âme.

L'inscription du Grand temple disait que, pour trouver le disque d'Onu-Metru « aucune porte ne devait être laissée fermée ». Mais voilà, les Archives contenaient des centaines de milliers de portes. Heureusement, Tehutti savait à quel étage le disque était caché. Il ne restait plus qu'à le trouver.

Les deux Toa Metru tournèrent le coin. Un couloir s'étendait devant eux, à perte de vue. Chaque côté du couloir était flanqué de portes ayant au moins quatre fois la taille d'un Toa. Les portes étaient épaisses et solides, et soigneusement verrouillées.

— Pourquoi toutes ces serrures? demanda Nuju. Vous avez peur de vous faire dérober vos trésors?

Whenua rit tout bas.

— Non, Nuju. Nous avons peur que nos trésors s'enfuient. Certaines des créatures semblent capables de résister à nos efforts pour les mettre en état de stase dans leur tube hypostatique.

Le Toa Metru de la terre s'arrêta à la première porte sur sa gauche. Aucun panneau ne permettait de savoir ce qui se cachait derrière, mais cela était normal. Aux Archives, l'une des règles disait que « si vous devez demander pour savoir ce qui se trouve derrière une porte, c'est que vous n'êtes pas censé l'ouvrir ».

Nuju se tordit le cou pour voir le haut de l'immense porte, puis examina la gigantesque serrure et dit :

— Je suppose que tu n'as pas la clé?

— Non. Seul l'archiviste en chef a les clés de cet étage. S'il savait que nous farfouillons par ici, il aurait déjà lancé les Vahki à nos trousses.

Nuju souleva sa pointe de cristal et tira un jet de glace sur la serrure, la gelant bien dure.

— Alors, fabriquons la nôtre.

Whenua approuva et activa l'un de ses marteaux-piqueurs. Il suffit de quelques coups pour faire éclater la serrure gelée.

La porte s'ouvrit lentement. Nuju regarda à l'intérieur.

— Whenua? Il y a quelque chose ici. Et c'est beaucoup plus gros qu'un Grand disque.

L'épreuve du feu

Avant que l'un ou l'autre n'ait pu faire un pas, la pince d'un énorme crabe Ussal jaillit de la pièce et agrippa les deux Toa.

— Haaa! Mauvaise porte! Mauvaise porte! cria Whenua.

— J'avais remarqué, figure-toi, répliqua Nuju en se débattant contre la vilaine pince, sans succès.

Il se réjouissait qu'il soit impossible de voir le crabe Ussal à qui appartenait cette pince. La journée avait déjà fourni sa part de mauvaises surprises.

— C'est – ouille! – une créature très rare! cria Whenua. Tâche de ne pas la blesser!

Nuju rassembla toute ses forces pour lutter contre la pince, mais il ne réussit pas à lui faire lâcher prise.

— Nous aussi, nous sommes des créatures très rares, Whenua. Je dirais même qu'en ce moment, nous sommes menacés d'extinction!

Whenua activa ses deux marteaux-piqueurs et les régla à haute vitesse.

— Je crois que j'ai une idée, dit-il, mais l'endroit risque de s'écrouler sur nous.

— Ne t'occupe pas de l'avenir, coupa Nuju, c'est mon domaine.

Whenua ferma les yeux et se concentra sur ses outils Toa. Les marteaux-piqueurs pouvaient perforer pratiquement n'importe quoi, même à basse vitesse, mais ils étaient dotés d'une autre particularité : ils produisaient un fort bruit lorsqu'on les utilisait.

Si je réussis à les faire fonctionner assez vite, pensa Whenua, *je pourrai peut-être atteindre la bonne fréquence pour que…*

Les marteaux-piqueurs bougeaient si rapidement que leur forme devint floue. Leur grondement, déjà horriblement fort, atteignit un niveau supersonique. Les deux Toa eurent l'impression que leur tête allait éclater. Des fissures apparurent sur les murs et au plafond. Whenua canalisa toutes ses forces pour faire augmenter la vitesse, puis un peu plus encore, luttant pour ne pas hurler sous une telle tension.

Tout à coup, Nuju et lui furent libérés. Les deux Toa glissèrent sur le sol tandis que la pince monstrueuse disparaissait dans l'obscurité. Nuju claqua la porte derrière elle et fabriqua une nouvelle serrure de glace épaisse. Puis il se retourna vers Whenua qui s'affairait à ralentir ses marteaux-piqueurs.

— Ouf! laissa échapper le Toa de la glace.

— Désolé. C'est la seule idée qui m'est venue, répondit Whenua. Personne ne sait vraiment de quelle bête il s'agit. Probablement un croisement entre un crabe Ussal et une créature plus grosse. Mais nous savons que la bête est presque aveugle et qu'elle utilise son ouïe pour attraper ses proies.

— Oreilles sensibles, dit Nuju. Tu as dû lui donner une de ces migraines.

Whenua se leva et aida Nuju à se mettre debout.

— Bienvenue aux Archives! lança-t-il.

— Nous sommes perdus-égarés, soupira Orkahm, le Le-Matoran, en regardant avec crainte les paysages étranges de Ga-Metru. Nous ne trouverons jamais le Grand disque!

Vhisola lui lança un regard dur.

— Nous ne sommes pas perdus, répliqua-t-elle sèchement. Nous sommes juste un peu… déboussolés.

— Tu disais que tu savais où nous étions-allions.

— Je le sais! insista la Ga-Matoran. C'est quelque part près d'ici.

— Ça suffit, trancha Nokama, la Toa de l'eau. Nous ne trouverons pas le Grand disque plus rapidement en nous querellant. Cela pourrait même envenimer les choses, ajouta-t-elle en désignant le bout de l'avenue.

Vhisola se retourna pour voir ce que leur montrait la Toa. Là-haut, près d'un des canaux, se tenaient trois Ga-Matoran qui regardaient dans leur direction avec méfiance. En les apercevant, Vhisola étouffa un cri et recula. L'un des Ga-Matoran chuchota quelque chose à un autre, qui partit aussitôt en courant vers le Grand temple.

Matau, le Toa Metru de l'air, observait la scène.

— Et alors? dit-il. Ils sont curieux-fouineurs. Où est le problème?

Nokama baissa la voix et murmura :

— C'est plus que ça. Ces Ga-Matoran ont été réquisitionnés par les Bordakh, les brigades Vahki de Ga-Metru. Il suffit qu'un Bordakh touche un Matoran pour que celui-ci devienne complètement respectueux de l'ordre, au point de dénoncer son meilleur ami.

— Des espions, conclut Matau. Dans ce cas, j'ai une idée-plan. Si ça fonctionne, on se retrouve au déversoir vite-bientôt. D'accord?

— Oui, mais… commença Nokama.

— Ah! Que connaissez-vous aux Grands disques? s'exclama Matau assez fort pour que toute la rue l'entende. Je vais chercher-trouver ce disque avant que l'un de vous trois n'ait le temps de crier « protodam »!

Sur ces paroles, le Toa de l'air sauta dans un toboggan et disparut.

Les deux Matoran qui les observaient parurent réfléchir un moment, puis ils se ruèrent à la poursuite de Matau. Une fois la voie libre, Nokama s'élança, entraînant Vhisola et Orkahm dans sa course.

— Hé! Arrête! cria Vhisola.

— Les Matoran ne seront pas capables de rattraper Matau. Quand ils le réaliseront, ils reviendront ici et nous ferions mieux d'être ailleurs à ce moment-là.

La Toa Metru de l'eau les guida dans un dédale de ruelles, passant derrière des écoles et par-dessus des murs, avant d'aboutir à l'un des mini-barrages de Ga-Metru. Ces réservoirs retenaient les marées de protodermis et les empêchaient de faire déborder le système de canalisation de Ga-Metru. Nokama balaya l'endroit du regard, mais n'aperçut ni Vahki ni Matoran à l'horizon. Elle vit cependant Matau qui se tenait au milieu du déversoir, les bras croisés et l'air souriant.

— Vous en avez mis du temps, lança-t-il à la blague.

— Vous deux, restez ici, au cas où les Bordakh reviendraient, ordonna La Toa de l'eau à Vhisola et à Orkahm.

Avant qu'ils puissent protester, elle prit son élan, sauta, fit une culbute dans les airs et atterrit à côté de Matau. Ils étaient debout dans un large conduit de pierre, à travers lequel le protodermis liquide s'écoulait vers les autres canaux, au besoin. Présentement, il était à sec et le resterait aussi longtemps que la valve principale serait fermée.

— Tu les as semés? demanda Nokama.

L'épreuve du feu

— Personne ne peut attraper un héros Toa, répondit Matau en s'approchant. À moins qu'il ne désire se faire attraper.

— Encore faut-il que quelqu'un *veuille* l'attraper, répliqua Nokama. Si nous faisions couler un peu de protodermis, nous pourrions utiliser les canaux inférieurs pour nager jusqu'au Grand temple. Vhisola dit que le disque s'y trouve.

— Nager? répéta Matau avec dégoût. Un Toa de l'air ne nage pas. Il vole.

— Bien sûr, s'il veut se faire repérer par les Vahki, c'est ce qu'il fait. Ouvre un peu la valve et fait couler du protodermis. Je vais chercher les Matoran.

Matau haussa les épaules et se dirigea vers la grande roue qui contrôlait la valve, mais il s'arrêta net.

— Nokama? Elle est déjà grande ouverte, dit-il en agrippant la roue et en essayant en vain de la faire tourner. C'est bloqué!

— Quoi? s'écria Nokama en courant vers lui.

Elle entendait déjà le grondement d'une vague de protodermis se dirigeant vers le déversoir. Elle cria :

— Matau, sors de là! Sors...

La vague frappa la Toa de l'eau de plein fouet, la faisant culbuter encore et encore. L'instant d'après, Matau était à son tour emporté par les flots. N'étant pas un nageur aussi expérimenté que Nokama, il oublia de prendre son souffle. Il se débattait dans l'eau, une main sur la gorge, le protodermis liquide pénétrant dans sa bouche et ses poumons.

Nokama déploya ses lames hydro devant elle et fonça à travers le protodermis. Elle percuta Matau et l'entraîna avec elle dans son élan jusqu'au bord du bassin. Ils se retrouvèrent hors du liquide, atterrissant durement sur la plate-forme rocheuse bordant le déversoir.

— Matau? Matau! cria-t-elle en retournant le Toa de l'air.

Matau toussa et hoqueta. Ses yeux s'ouvrirent et un sourire apparut sur son visage quand il vit Nokama.

— Je savais que tu serais là pour moi, murmura-t-il.

Nokama, Matau, Vhisola et Orkahm progressaient rapidement vers le Grand temple. Il n'y avait pas moyen de s'y rendre sans se faire voir, mais ils firent de leur mieux pour passer inaperçus. Ce n'était pas facile pour les deux Toa Metru. Les Matoran les regardaient avec admiration et respect, parfois avec crainte, mais aucun d'eux ne manifestait de haine à leur égard.

— L'inscription disait : « À Ga-Metru, va au-delà des profondeurs », rappela Nokama.

L'épreuve du feu

— Quelle est la signification de cette inscription-épigraphe? demanda Matau.

— Dans la mer, sous le Grand temple, répondit Vhisola. Loin dessous.

— Comme c'est amusant-réjouissant, dit Matau d'un air mécontent.

Ils se rendirent derrière le Grand temple. Une étroite passerelle en pierre séparait le bâtiment de la mer. Nokama avait déjà annoncé qu'elle plongerait seule pour récupérer le disque.

— Orkahm et toi n'êtes pas des nageurs, avait-elle expliqué. Si les choses tournent mal pour moi, tu auras besoin de Vhisola pour t'indiquer la sortie. Elle reste donc ici.

Matau avait failli répliquer que les héros Toa devaient travailler ensemble, mais le souvenir de sa quasi-noyade dans le protodermis lui fit garder le silence.

— Dans ce cas, reviens vite-rapidement, Nokama. Nous t'attendons.

Nokama hocha la tête, puis plongea dans la mer agitée et disparut dans les vagues de protodermis. Le Toa et les Matoran la suivirent des yeux, se demandant ce qui l'attendait dans les profondeurs de la mer.

Quelle ne fut pas leur surprise quand ils réalisèrent – trop tard! – qu'ils n'avaient pas entendu les Bordakh approcher! Matau lança un coup d'œil à gauche et en vit trois, bâton en main, qui venaient vers eux. Trois autres arrivaient par la droite, leur laissant la mer glaciale comme seule issue.

— Je déteste Ga-Metru, marmonna Matau entre ses dents.

Nokama ignorait tout de ce qui se passait à la surface. Elle avait atteint les fondations du Grand temple et repéré sa récompense. Là, devant elle, coincé entre deux saillies pointues, se trouvait un Grand disque!

La vue de l'objet convoité lui redonna des forces. Elle plongea plus creux et utilisa toute sa nouvelle force de Toa pour dégager le disque. Elle en examina le code à trois chiffres et vit que, oui, ce disque avait bien été fabriqué à Ga-Metru et était d'un niveau de puissance 9. Seuls les Grands disques contenaient un tel niveau de pureté et de puissance.

Elle plaça le précieux objet sous son bras et, toute souriante, entama sa remontée vers la surface. Elle n'avait pas remarqué que les deux saillies pointues retenant le Grand disque étaient en fait deux dents gigantesques et ne savait pas que leur propriétaire ne tolérait aucune intrusion. Elle battit des jambes et se mit à nager, sans se douter que d'énormes mâchoires s'apprêtaient à se refermer brutalement sur elle.

Ce fut d'abord la chaleur que sentit Onewa. Il ne faisait jamais si chaud à Po-Metru, même en plein jour à la Carrière aux sculptures. Que se passait-il, au nom de Mata Nui?

Puis il ouvrit les yeux et vit les flammes dansant dans le fourneau. Alors, il se souvint : l'éclair, la chute, tout. Il secoua Vakama.

— Debout! cria-t-il. C'est probablement ta dernière chance de t'en sortir!

Les yeux du Toa du feu s'ouvrirent d'un coup. Il regarda autour de lui. Ils avaient beaucoup glissé sur la rampe de décharge et ils étaient sur le point de tomber dans le fourneau. Il était trop tard pour sauter de la rampe et, une fois à l'intérieur de la chambre à combustion, même leurs pouvoirs Toa ne leur seraient d'aucune aide.

— Tu n'as pas de disque pour cette situation? demanda Onewa.

— Tais-toi! Je dois me concentrer, répondit le Toa

du feu..

Il tendit les mains vers l'ouverture du fourneau et lutta pour rassembler toutes ses forces Toa. Il savait qu'il avait le pouvoir de créer du feu, mais il espérait avoir aussi le pouvoir de le contrôler.

La rampe de décharge les rapprochait peu à peu des flammes. Onewa se demandait si son Masque de puissance pourrait les sauver, mais il réalisa avec tristesse qu'il ignorait tout de ses pouvoirs. Vakama était leur dernière chance.

Le Toa du feu fit appel à chaque parcelle de volonté qu'il avait en lui et projeta le tout avec violence en direction du fourneau. À son grand étonnement, le feu commença à faiblir. Vakama sentit une grande chaleur envahir son corps, puis les flammes se transformèrent en simples étincelles. En peu de temps, même les étincelles disparurent.

— Je n'arrive pas à le croire, murmura Onewa. Comment as-tu…?

— Attention! cria Vakama, avant de lâcher un double jet brûlant qui perça un trou dans le plafond du bâtiment.

Les jets de flammes durèrent un long moment, puis Vakama les fit cesser. Aussitôt, il s'écroula, exténué.

— Qu'as-tu fait? demanda Onewa.

— J'ai... absorbé... le feu, répondit Vakama, hors d'haleine. Mais je... ne pouvais pas... contenir... la puissance. Il fallait que... je la relâche, sinon...

Onewa eut juste le temps d'apercevoir Nidhiki, qui s'éloigna du garde-fou et disparut dans l'obscurité. Le Toa songea un instant à le poursuivre, mais se ravisa, sachant que son ennemi à quatre pattes était déjà loin. De plus, il avait un problème plus urgent à régler.

— Vakama, ce jet de flammes va attirer les Vahki par ici, déclara-t-il en aidant le Toa du feu à se relever. Les Nuurakh vont nous accuser d'avoir abîmé un bien du metru et notre mission va tomber à l'eau.

— Où sont Nuhrii et Ahkmou?

— J'ai bien peur qu'il nous faille les retrouver... encore, soupira Onewa en hochant la tête. Allons-y.

Il fut plutôt facile de retrouver les deux Matoran. Ahkmou était déjà venu dans Ta-Metru, mais il n'était pas familier avec les lieux et ne voulait pas courir le risque de rencontrer Nidhiki. Quant à Nuhrii, il avait beau connaître toutes les ruelles et les raccourcis du coin, il avait trop peur pour s'aventurer ailleurs. Onewa les retrouva cachés parmi des toboggans fermés pour réparation.

Vakama s'accroupit et fixa les deux Matoran :

L'épreuve du feu

— Écoutez-moi bien. Quelqu'un veut à tout prix nous empêcher de mettre la main sur les Grands disques. Ça signifie que ni l'un ni l'autre, vous n'êtes en sécurité, tant que nous ne les aurons pas trouvés. C'est clair?

Nuhrii fit signe que oui. Ahkmou haussa les épaules. Vakama jugea que c'était suffisant.

— En route pour les puits à feu.

Les puits à feu de Ta-Metru étaient une demi-douzaine de cratères étroits et profonds, desquels jaillissaient de grands jets de flammes. Un réseau de conduits souterrains alimentait les feux partout où ils se trouvaient dans le metru. Vu leur importance cruciale, il n'était pas étonnant que le site fût clôturé et placé sous la surveillance des Nuurakh.

— Nous pourrions aller les voir et leur expliquer pourquoi nous avons besoin du disque, suggéra Nuhrii.

— S'ils daignent nous écouter, croire notre histoire et s'ils sont d'accord pour nous mener à Turaga Dume afin que nous lui expliquions nos raisons, alors peut-être, oui, aurions-nous le disque, railla Onewa. Mais peut-être pas. Alors mieux vaut contourner les règles. Hé, on ne fait pas de sculpture sans casser un peu de protodermis, non?

— Nous devons distraire les Nuurakh, dit Vakama.

Onewa sourit.

— Je m'en charge.

Peu de temps après, ils étaient en place. Vakama et Nuhrii avaient rampé aussi près que possible de la grille sans se faire voir. Onewa et Ahkmou s'étaient rapprochés d'un tas de pierres laissées là, suite à une récente excavation.

Au signal de Vakama, Onewa déclencha son pouvoir élémentaire. Un premier bloc de pierre fut projeté en l'air et vint s'écraser contre la grille. Puis deux autres, puis six autres, jusqu'à ce que les Vahki accourent pour voir ce qui se passait. Emporté par son enthousiasme, Onewa alla jusqu'à projeter un bloc directement sur un des Nuurakh.

Dès que les Vahki laissèrent leurs postes, Vakama et Nuhrii foncèrent droit devant. Vakama utilisa son pouvoir pour chauffer la grille et créer un trou assez grand pour eux deux.

— Es-tu certain de savoir dans quel puits à feu se trouve le disque? murmura le Toa.

— J'ai vu une inscription, répondit Nuhrii. Je crois qu'elle était juste.

Le Matoran guida Vakama au bord d'un des puits. Le Toa du feu se pencha au-dessus du trou, mais recula

L'épreuve du feu

d'un bond quand des flammes en sortirent. Quand elles baissèrent de nouveau, il s'exclama :

— Vite! On a peu de temps devant nous!

Vakama commença à descendre dans le puits en forgeant des prises tout le long de la paroi, Nuhrii cramponné à lui. Il pouvait apercevoir le disque, plus bas, bien incrusté dans la paroi et intact, malgré la chaleur intense des lieux. Vakama s'étira le bras et le dégagea. Oui, le disque portait bien le symbole de Ta-Metru et son code à trois chiffres indiquait un niveau de puissance 9, la plus haute concentration d'énergie possible pour un disque Kanoka.

C'était bien un Grand disque!

— Nous l'avons! dit Vakama. Grimpe sur moi et sors du puits.

Nuhrii grimpa sur les épaules de Vakama, mais avant qu'il puisse atteindre la surface, deux sarments de vigne surgirent des profondeurs. S'enroulant très solidement autour du Toa et du Matoran, ils commencèrent à les entraîner vers le fond du puits.

— Dégage-toi et sors d'ici! cria Vakama. Apporte le Grand disque à Onewa!

— Je ne peux pas, la plante est trop forte! répondit Nuhrii, en proie à la panique. Nous sommes perdus! Les flammes vont remonter d'un moment à l'autre.

Le Toa du feu redoubla d'efforts, mais plus il se débattait et plus la plante le tirait vers le bas. Pire encore, il était ligoté d'une telle façon qu'il ne pouvait pas viser et projeter un disque.

— Nuhrii, peux-tu atteindre mon dernier disque? Je veux que tu l'insères dans mon lanceur.

Le Matoran acquiesça et fit son possible pour attraper le disque. Il parvint à peine à l'effleurer.

— Je n'y arrive pas! cria-t-il.

— Essaie encore! insista Vakama. Il ne s'agit pas que de nous : la cité entière est en péril.

Alors Nuhrii s'étira jusqu'à ce que la douleur soit si grande qu'elle l'empêche de penser correctement. Enfin, sa main se referma sur le disque.

— C'est un disque de niveau 4, Vakama, dit-il. Code de puissance 1.

Pendant que Nuhrii insérait le disque dans le lanceur, Vakama continua à se débattre pour se libérer. Le code de puissance 1 indiquait que le disque pouvait reconstituer tout ce qu'il touchait au passage. C'était un disque dangereux parce qu'il avait autant la faculté d'affaiblir la Morbuzakh que de la renforcer. Mais le Toa n'avait pas le choix.

Nuhrii lutta contre la puissance de la Morbuzakh afin de placer le lanceur dans la bonne position. Quand

L'épreuve du feu

il eut visé du mieux qu'il le pouvait, il appuya sur la détente et projeta le disque à l'endroit où les deux sarments se rejoignaient.

Le disque toucha sa cible de plein fouet. Vakama assista, étonné, à l'éparpillement des molécules qui composaient les sarments de vigne. La plante lâcha prise sous le choc. Le Toa du feu et Nuhrii se hissèrent à toute vitesse hors du puits.

Vakama eut à peine le temps d'apercevoir la Morbuzakh sous sa nouvelle apparence : une tige épaisse dotée de longues épines pointues et quelque chose qui ressemblait à une bouche pourvue de dents aussi coupantes que des rasoirs. La chose poussa un hurlement sinistre et tenta d'atteindre Vakama, au moment même où les flammes étaient de nouveau projetées du puits. Le Toa Metru savait bien que les flammes ne détruiraient pas la plante, mais il n'avait aucune envie de rester là et de revoir cette horreur.

Le Toa et le Matoran coururent jusqu'à la grille, chacun s'efforçant de ne pas regarder derrière lui.

— Celle-ci peut-être? demanda Nuju en montrant une porte métallique à l'allure lourde et solide.

Whenua se retourna, vit la porte et secoua la tête.

— Non, ce n'est pas celle-là, répondit-il.

— Comment le sais-tu?

— Je sais ce qu'il y a dans cette pièce répliqua Whenua. Laisse ça tranquille.

Nuju lança un regard mauvais au Toa de la terre. À Ko-Metru, Nuju était un grand prophète, à qui l'on avait confié d'importantes responsabilités. Maintenant qu'il était un Toa Metru, il était réduit à se promener dans l'obscurité et l'humidité des Archives, à la recherche d'une relique cachée parmi des milliers d'autres. Jusqu'ici, il avait été serré par une pince de crabe Ussal et attaqué par une sangsue de glace, il avait mis le pied dans une substance dont il ne voulait vraiment pas connaître l'origine et il s'était perdu au moins deux fois. Il était couvert de la poussière du passé et il détestait cela.

L'épreuve du feu

Whenua ne semble pas avoir la moindre idée de ce qui se trouve ici, se dit Nuju. *Alors comment saurait-il que le Grand disque n'est pas derrière cette porte?*

Après avoir vérifié que le Toa de la terre était occupé ailleurs, Nuju saisit la poignée de la porte et tira. Curieusement, elle n'était pas verrouillée. Il fallut un certain temps à ses yeux pour s'habituer à l'obscurité encore plus profonde qui régnait dans la pièce. Au bout d'un moment, il remarqua quelque chose de scintillant. Le Grand disque pouvait-il produire ce genre de reflet?

Nuju fit un pas, puis un autre, avant de buter contre un mur de verre. En fait, ce n'était pas un mur. C'était le côté d'une cuve remplie de protodermis liquide. Il pressa son masque contre la vitre afin de voir si quoi que ce soit s'y trouvait.

Tout à coup, quelque chose frappa brutalement la paroi intérieure de la cuve, juste à l'endroit où se tenait Nuju. Avant que le Toa puisse réagir, la chose revint à la charge avec la même force, créant, cette fois, une mince fissure dans la paroi de verre. À la troisième charge, Nuju eut le temps d'apercevoir la bête et le regretta aussitôt. C'était une longue créature en forme de serpent, munie de puissantes pattes avant et, plus inquiétant encore, de deux têtes. Des yeux verdâtres, minces comme des fentes, et une gueule dotée de crochets ornaient chaque tête.

Nuju fit un bond en arrière quand la bête chargea de nouveau. Le protodermis commençait à suinter de la cuve, mais cela ne l'inquiéta pas : une toute petite quantité de son pouvoir suffit pour geler la substance et sceller la fissure. Par contre, il était évident que sa présence agaçait la bête et il crut sage de décamper.

Il fit demi-tour et vit Whenua qui l'observait, debout dans l'embrasure de la porte.

— C'est fini? demanda le Toa de la terre. Écoute, je sais que tu n'aimes pas cet endroit. Ce n'est pas propre et ordonné comme à Ko-Metru. Les archivistes ne s'assoient pas dans de belles tours pour étudier toute la journée; ils sont sur le terrain et n'ont pas peur de se salir les mains. Mais nous avons des règles ici aussi, comme, par exemple, de ne pas déranger le Tarakava à deux têtes.

— En effet, il semble plutôt du genre... irritable, fit Nuju.

— Avant qu'il arrive ici, les derniers à avoir provoqué sa colère ont été deux Ga-Matoran dans leur chaloupe, laissa tomber Whenua en s'éloignant. Ils ont été chanceux de regagner le rivage. Leur chaloupe, elle, a été réduite en poussière.

L'épreuve du feu

Nuju ne dit rien. Il suivit Whenua, en se faisant la réflexion que, même dans un endroit dédié à un passé révolu, les actes pouvaient avoir des conséquences.

Whenua s'arrêta devant une autre porte, l'air inquiet.

— Ce pourrait être ici. De la façon dont les choses se passent, c'est sûrement ici. Mais, au nom de Mata Nui, j'espère que non.

Le panneau sur la porte disait « Défense d'entrer ». Nuju se demanda ce qu'il y avait dans cette pièce pour inquiéter Whenua à ce point. Après tout, deux Toa Metru devaient être capables de venir à bout de n'importe quelle situation.

Whenua eut une hésitation avant d'utiliser son marteau-piqueur pour faire sauter la serrure.

— J'espère que nous sommes prêts à affronter ça. Le dernier archiviste à être venu ici n'a pas prononcé un seul mot depuis... mais il crie beaucoup.

Nuju prépara ses deux pointes de cristal, au cas où son pouvoir de glace serait requis. Whenua ouvrit lentement la porte et les deux Toa pénétrèrent dans la pièce.

Ils se tenaient dans une vaste pièce très éclairée et complètement vide. Rien n'indiquait qu'une créature vivait ici ou l'avait jamais fait. Nuju eut un doute.

Ça n'a rien d'effrayant. Qu'est-ce qui inquiétait tant Whenua?

Les deux Toa Metru se retournèrent en entendant la porte se refermer derrière eux. Nuju fut surpris de voir le trou fait par le marteau-piqueur de Whenua disparaître comme par magie. Ils étaient prisonniers.

— Qu'est-ce que c'est exactement? demanda Nuju.

— Personne ne le sait vraiment, répondit Whenua en scrutant la pièce. Notre meilleure hypothèse veut que la créature ait un lien quelconque avec le disque de reconstitution aléatoire.

— Quelle créature? Il n'y a rien ici! s'exclama Nuju.

— Tu ne comprends pas, répliqua Whenua, alors que les pierres de lumière commençaient à baisser d'intensité. Ce Rahi n'est pas *dans* la pièce. Il *est* la pièce!

Le plancher se mit bouger sous les pieds de Nuju. Une paire de serres émergea de la pierre et l'agrippa par les chevilles. Une main plus grosse sortit d'un des murs et tenta d'attraper Whenua, mais le rata de peu. Un grondement sourd et menaçant, semblable à la respiration d'une énorme bête, résonna dans toute la pièce.

Le Toa de la terre plongea vers Nuju. Des pointes surgirent du mur juste au-dessus de lui, mais Whenua était agile et il réussit à les éviter. Il saisit les deux serres qui retenaient Nuju et leur fit lâcher prise. Le grondement s'amplifia et devint plus féroce.

Le plancher montait à une vitesse folle, laissant entrevoir aux deux Toa une fin écrasante. Nuju utilisa ses pointes de cristal pour lancer des jets de glace qui formèrent de gros piliers, empêchant le sol et le plafond de se rejoindre. Mais il savait que même les piliers céderaient bientôt sous la pression.

— Il faut sortir d'ici, dit-il.

— Tu as une idée? demanda Whenua.

— J'espérais que toi, tu en aurais une.

Whenua sourit.

— J'en ai peut-être une. À part la glace, qu'est-ce que tu peux faire?

Nuju comprit aussitôt. Il mobilisa toutes ses forces et se concentra pour faire naître une tempête. C'était une tâche terriblement difficile pour lui, car il ne maîtrisait pas encore bien l'usage de ses pouvoirs élémentaires. Mais peu à peu, l'air ambiant se refroidit et un vent glacial se mit à souffler dans toute la pièce. Aussitôt, l'humidité présente dans l'air se condensa en gouttelettes qui, en quelques secondes, gelèrent et se transformèrent en cristaux de neige.

Nuju fournit un effort intense pour abaisser la

température encore et encore. À côté de lui, Whenua grelottait, du givre se formant sur son masque. Il était difficile de deviner qui, du Toa Metru ou de la créature, allait succomber en premier à la tempête.

C'est alors que Whenua montra quelque chose sur le mur du fond. Nuju s'efforça de regarder, malgré la neige et la glace qui l'aveuglaient. Cela ressemblait à une ouverture dans le mur. Quand les deux Toa firent un pas dans cette direction, une vague traversa le plancher sous leurs pieds et les projeta avec violence par l'ouverture. Ils traversèrent la pièce sans toucher le sol et vinrent s'écraser contre le mur du couloir. Derrière eux, le trou se referma.

Whenua grogna et secoua la neige de son corps.

— J'imagine que ça a fonctionné. Ça n'a pas été aussi facile que je l'aurais cru.

— Voilà probablement la première leçon à retenir pour un Toa, répondit Nuju. « Rien n'est facile. »

Le Toa de la glace commençait à avoir l'impression de tourner en rond. Ce niveau inférieur des Archives semblait s'étirer à perte de vue et il avait la certitude d'avoir déjà croisé ces portes. Mais Whenua affirmait le contraire.

— Si c'est par ici, nous le saurons bientôt, insista le

L'épreuve du feu

Toa de la terre. Nous avons exploré la quasi-totalité du niveau. Je ne crois pas que…

Il s'arrêta brusquement, redressa la tête et tendit l'oreille. À son tour, Nuju prêta attention : un bruit de pas constant provenait de quelque part dans les couloirs. Les pas étaient trop lourds pour être ceux d'un Matoran. De toute façon, tous les archivistes évitaient cette section.

Whenua lança un regard à Nuju.

— Nous n'avons plus de temps. Les Vahki s'en viennent. Quelqu'un a dû entendre le vacarme et les a appelés.

Le Toa de la terre se mit à ouvrir toutes les portes avec frénésie.

— Nous sommes ici sans autorisation pour nous emparer d'un artefact. Peu importe si c'est pour une bonne cause. Tu connais les Vahki d'Onu-Metru : ces Rorzakh vont nous pourchasser sans relâche, dans les moindres recoins et jusqu'au Grand temple, avant d'abandonner!

Nuju dut reconnaître qu'il avait raison. Même à Ko-Metru, les Matoran savaient qu'il valait mieux ne jamais se retrouver avec un Rorzakh à ses trousses. Ces Vahki n'abandonnaient jamais avant d'avoir accompli leur mission. On racontait même qu'un Rorzakh avait déjà plongé tête première dans un puits de mine pour rattraper un fuyard.

Tout en courant, le Toa de la glace se mit à ouvrir les portes qui n'étaient pas verrouillées.

— Je n'aurais jamais imaginé qu'un Toa pût être à la recherche de tant de choses. Je croyais plutôt que les Toa possédaient tout ce dont ils avaient besoin.

— Peut-être que les Toa sont les seuls à posséder le pouvoir de trouver ce qui doit être trouvé, dit Whenua..

Le Toa de la terre ouvrit une autre porte. Une avalanche d'artefacts de Metru Nui déboulèrent sur lui et le renversèrent. Il fut bientôt enseveli sous un tas d'outils, de masques, de plaques et d'objets divers.

Puis tout redevint silencieux. Nuju s'approcha du tas d'objets, mais au même moment, ceux-ci se mirent à bouger. La main de Whenua émergea du tas, tenant le Grand disque.

Nuju sourit. Il était temps d'aller récupérer les deux Matoran et de se mettre en route pour Ko-Metru. Là, il en était sûr, la recherche du Grand disque se déroulerait sûrement de façon plus ordonnée.

Nokama nageait en mouvements longs et réguliers, ses yeux fixant la surface. Les visages étaient flous à travers le liquide, mais elle pouvait reconnaître Matau, Vhisola, Orkahm et... des Vahki!

Cette vision l'arrêta net. Et c'est seulement à ce moment qu'elle sentit une sorte de tumulte dans l'eau, comme si la nature elle-même tentait d'attirer son attention. Elle se retourna et aperçut la gigantesque créature marine qui fonçait vers elle. Elle étouffa un cri, sachant qu'ouvrir la bouche sous l'eau équivalait à une mort certaine... et elle ne voulait tout de même pas rendre ce service au Rahi.

Nokama chassa sa peur. La peur était un sentiment normal pour un Matoran, mais elle était une Toa maintenant. Elle pouvait se défendre et peut-être même résoudre ainsi deux problèmes d'un seul coup.

Serrant le Grand disque contre elle, elle accéléra en direction de la surface. La bête Rahi était sur ses talons, excitée par la chasse et déterminée à attraper sa proie. Nokama surgit de l'eau et, une fois en l'air, plongea en direction d'un groupe de Vahki. La bête, qui suivait tout juste derrière, bondit aussi, ses mâchoires claquant, pressée de croquer son repas.

Au tout dernier moment, Nokama se roula en boule et s'élança vers le bas. Incapable de changer de direction, le Rahi percuta les Vahki, effrayés. Matau profita de l'occasion pour faire déferler un fort vent qui emporta les autres Vahki dans la mer.

— Bonjour, les problèmes-tracas! lança Matau. Les Vahki détestent le poisson... et les bains.

— Alors, ne restons pas ici à les écouter se plaindre, dit Nokama. Nous avons le disque. En route!

Aucun des quatre ne cessa de courir avant d'avoir atteint les limites de Le-Metru. Une fois là, ils se fondirent dans la foule des usagers du terminal de transport de Metru Nui. Vhisola continuait de regarder par-dessus son épaule, comme si elle craignait de voir réapparaître les Vahki.

— Pourquoi suis-je ici? demanda-t-elle. Vous avez le disque de Ga-Metru et je ne sais rien de celui de Le-Metru! Pourquoi ne puis-je pas rentrer chez moi?

— Tu es plus en sécurité avec nous, répondit Nokama.

— Oui, un Rahi à quatre pattes rôde dans le coin,

ajouta Matau. Je suis sûr que tu n'aimerais pas le rencontrer.

Les deux Toa Metru ne voulaient pas raconter toute l'histoire. Ils savaient que chacun des six Matoran qui accompagnaient les Toa dans leur quête des Grands disques avait ses propres raisons de vouloir récupérer les artefacts. Pour les uns, c'était une question de gloire personnelle, pour les autres, une histoire de rancune. Cependant, les héros Toa s'accordaient à dire qu'Ahkmou avait des desseins beaucoup plus sombres pour les Grands disques. Nokama et Matau sentaient que laisser partir l'un de leurs Matoran risquait de leur attirer de graves ennuis avec les Vahki, ou même pire encore.

Matau entraîna le groupe vers un coin étrangement calme du metru, où le sol était jonché de toboggans cassés et de traverses de soutien abîmées. Aucune équipe de réparation ni aucun préposé n'était sur les lieux. Nokama adressa un regard interrogateur à Matau, qui lui répondit simplement :

— La Morbuzakh.

La Toa de l'eau regarda autour d'elle, inquiète. Une partie du metru ravagée par la Morbuzakh ferait une bonne cachette, mais cela signifiait aussi que la plante pouvait y revenir. Ils devaient se tenir sur leurs gardes.

— Que disait l'inscription à propos du disque de Le-Metru? demanda Matau.

— « Le Grand disque de Le-Metru sera tout autour de vous quand vous le trouverez », répondit Nokama.

Matau regarda à gauche et à droite.

— Je ne le vois pas.

— Tu ne le vois pas parce qu'il n'est pas ici, dit Orkahm. Ce n'est pas en allant très vite que tu le trouveras, Matau. Aussi difficile que ce le soit pour toi, tu devras ralentir ton rythme si tu veux retrouver le disque.

Matau se renfrogna. « Ralentir » ne faisait pas partie du vocabulaire d'un Toa Metru de l'air comme lui.

— Alors, où le disque est-il caché-dissimulé?

— Tout le problème est là, répondit Orkahm. J'avais trouvé son emplacement, mais il n'y est plus. En fait, à l'heure actuelle, il peut se trouver n'importe où... car il est prisonnier d'une sphère d'énergie!

À ces mots, Matau se laissa tomber par terre lourdement, les yeux rivés au sol. Le regard de Nokama alla de Matau à Orkahm, puis revint sur Matau.

— C'est si grave que ça? demanda-t-elle.

— Très grave, répliqua-t-il. Très, très grave.

— Est-ce que quelqu'un va m'expliquer ce qui se

passe, ou avez-vous besoin d'une bonne averse pour vous décider? lança-t-elle sèchement.

— Bon, je t'explique, dit Orkahm. Tu sais de quoi est fait un toboggan? C'est un tube de protodermis enduit d'une gaine d'énergie magnétique qui permet aux choses circulant à l'intérieur de se déplacer rapidement. Parfois, un défaut-imperfection se glisse dans un toboggan, lors de sa fabrication, ce qui suffit à faire dévier-sauter une parcelle d'énergie, qui se replie alors sur elle-même et devient une sphère.

— La sphère se déplace à grande vitesse dans les toboggans, poursuivit Matau. Son magnétisme peut attirer toutes sortes de débris à l'intérieur d'elle… y compris un Grand disque. Plus le temps passe et plus la sphère devient forte-redoutable.

— Qu'arrive-t-il alors? demanda Nokama, sans être certaine de vouloir le savoir.

— Une fois qu'elle devient assez grosse et assez puissante, elle détruit-fracasse les toboggans en miettes, répondit le Toa de l'air. La sphère d'énergie est étouffée-enterrée sous les débris et elle explose. Disparue!

— Avec tout ce qu'elle contenait, ronchonna Nokama. Nous devons trouver cette sphère!

Orkahm sortit une carte du réseau de toboggans

de Le-Metru et, la dépliant devant les deux Toa, il leur désigna une intersection non loin de là.

— La sphère était ici au moment où Toa Matau et moi volions jusqu'au Grand temple.

Matau traça du doigt la route qu'avait dû emprunter la sphère d'énergie et arriva à un endroit qui sembla, aux yeux de Nokama, être un véritable enchevêtrement de toboggans.

— Ici! Un paquet de toboggans s'enroulant les uns sur les autres : voilà qui réussirait à la ralentir. C'est sûrement là que nous allons la trouver!

« Là » s'avéra être un vieux secteur du metru, construit, de toute évidence, bien avant que quelqu'un se risque à mettre de l'ordre dans le réseau de toboggans. Nokama n'avait jamais vu quelque chose d'aussi complexe et d'aussi embrouillé. Elle se demanda comment les Matoran réussissaient à se retrouver dans ce que Matau appelait « le Nœud ».

Le Toa de l'air était perché au sommet d'un des toboggans, ses yeux perçants scrutant le réseau. Selon ses calculs, la sphère d'énergie passerait ici d'un moment à l'autre. Tout ce qu'il aurait à faire serait de sauter dans la sphère, d'y attraper le Grand disque et d'en ressortir.

L'épreuve du feu

— Facile! insista-t-il. Sauf pour ce qui est d'en sortir. Et d'y entrer. Et peut-être de trouver-repérer le disque.

Orkahm poussa un cri. Il venait de voir la sphère d'énergie qui déboulait dans le toboggan, en direction du Nœud, à une vitesse incroyable. Elle était plus grosse qu'un Toa et son centre était fait d'un tourbillon d'énergie magnétique et de fragments de protodermis. Nokama se demanda si un être vivant pouvait survivre là-dedans.

Si Matau était inquiet, il ne le laissa pas paraître. Quand la sphère traversa le toboggan situé en dessous de lui, il plongea dedans.

Aussitôt, les forces de la sphère s'emparèrent de lui, menaçant de le réduire en miettes. Outils, écrous et autres menus objets tournoyaient autour de lui en une danse désordonnée, frappant son corps de toutes parts. Pendant ce temps, la sphère continuait sa course folle vers le Nœud.

À l'extérieur, Orkahm fut pris de panique. Matau et lui avaient eu tort de croire que la sphère serait ralentie par le Nœud! Au contraire, elle allait le fracasser avant de s'écraser sur elle-même, emportant avec elle le Toa de l'air et le Grand disque.

Matau comprit ce qui se passait, mais il ne pouvait

rien y changer. S'il sortait de la sphère, il perdrait le Grand disque et la cité serait condamnée à disparaître. S'il y demeurait, il lui restait une mince chance de…

Oui! En cherchant à l'aveuglette parmi les débris, il venait de saisir quelque chose qui ressemblait à un disque. Luttant contre la force de la sphère, il approcha l'objet de son masque et réussit à voir qu'il s'agissait bel et bien du Grand disque de Le-Metru. Pendant qu'il l'admirait, un morceau de protodermis heurta sa main et faillit lui faire perdre le précieux objet.

Matau ne pouvait pas voir à travers la sphère, mais il savait qu'il approchait à toute allure du Nœud. Il devait vaincre la résistance de la sphère et s'éjecter maintenant, mais il n'avait rien contre quoi prendre appui. S'il n'y parvenait pas, il était condamné à tournoyer sans fin comme les autres débris captifs de la sphère.

Ma seule force ne suffira pas, se dit-il. *Il va falloir que j'y ajoute mon pouvoir Toa.*

La dernière fois que Matau s'était servi de ses pouvoirs élémentaires, il avait dû faire preuve d'une grande concentration pour créer un simple coussin d'air. Cette fois, cela semblait se passer un peu plus aisément, mais la tâche qu'il devait accomplir était beaucoup plus difficile. Il aurait besoin d'un minicyclone pour combattre la résistance de la sphère d'énergie et pour s'en sortir.

Matau n'avait pas le temps de laisser les vents amplifier graduellement. Il poussa ses pouvoirs à leurs limites, forçant ainsi l'air environnant à tournoyer violemment. Il se retrouva soudain au centre d'une tornade qui aspirait tout, y compris l'air de ses poumons. Bien malin qui aurait pu dire si le Toa allait mourir dans l'explosion de la sphère ou avant, par suffocation.

Matau tournait sans arrêt à l'intérieur du cyclone et le monde autour de lui devint flou. Il se sentit sur le point de perdre connaissance, mais il savait que si cela arrivait, la tempête cesserait et il n'aurait alors plus aucun espoir de sortir de la sphère. Il lutta pour rester conscient. Après tout, ce n'était pas en rendant l'âme lors de sa première mission importante que le Toa de l'air réussirait à impressionner Nokama.

Tout à coup, il sentit son corps voler dans les airs. Il lui fallut un instant pour réaliser qu'il avait été éjecté de la sphère d'énergie. Malheureusement, la force du cyclone faisant toujours rage, il alla s'écraser avec fracas contre une traverse de soutien.

Nokama, Vhisola et Orkahm coururent vers lui. Le Toa de l'air était inerte. Hésitante, Nokama étendit la main et secoua l'épaule de Matau en prononçant son nom.

Il se retourna brusquement, un sourire aux lèvres, et brandit le Grand disque.

— Tu vois, Nokama? lança-t-il. Je te l'avais dit qu'il n'y avait pas de danger-problème!

À Metru Nui, les Ko-Matoran étaient reconnus pour de nombreuses choses, mais leur culte de la connaissance arrivait en tête de liste. Ils nourrissaient la puissante ambition de faire partie des savants des Tours de la connaissance. Leur attitude à l'égard des Matoran des autres metru était habituellement froide, parfois même méprisante. Occupés à étudier une plaquette ou à déchiffrer une inscription, ou encore absorbés par un quelconque problème philosophique, ils étaient souvent inattentifs à ce qui se déroulait autour d'eux.

Voilà pourquoi aucun Ko-Matoran ne leva le nez au ciel ni ne remarqua Toa Whenua qui s'accrochait à une tour, au péril de sa vie.

— Je croyais que tu étais bon à ce genre d'exercice, railla Nuju tout en forçant pour hisser son compagnon Toa sur le toit.

— Non, c'est Onewa qui aime se balancer d'un bâtiment à l'autre, cria Whenua. Moi, je suis Whenua, celui qui en tombe!

Au prix d'un énorme effort, Nuju réussit à tirer le Toa de la terre sur le toit glacé de la Tour de la connaissance. Là, jugeant sa sécurité bien relative, Whenua s'empressa d'utiliser ses marteaux-piqueurs pour se creuser des poignées.

— N'abîme pas le cristal dessous, menaça Nuju. J'aurais dû m'écouter et remplir seul cette mission. Je savais quelles seraient les conséquences de cette alliance.

— Nous avons fait du bon travail tous les deux à Onu-Metru, rappelle-toi, réplique Whenua. Oh, c'est vrai, j'oubliais que tu te fiches du passé, n'est-ce pas? De toute façon, si tu t'obstines à travailler seul, tu finiras probablement comme ce pauvre Tehutti.

L'Onu-Matoran se tenait avec Ehrye sur un toit non loin de là, l'œil hagard et l'esprit confus. Ehrye le retenait par le bras pour l'empêcher de chuter. Tous les quatre étaient tombés sur une patrouille de Keerakh, les Vahki de Ko-Metru, et Tehutti avait fait l'erreur de se mettre à courir. Un seul coup de gourdin d'un Keerakh avait suffi pour lui faire perdre toute notion du temps et des lieux. À l'entendre parler, il était de retour aux Archives, occupé à cataloguer un spécimen d'araignée Fikou.

— Es-tu certain que le Grand disque est là-haut?

demanda Whenua en se mettant prudemment debout.

Les vents soufflaient fort à cette hauteur et les toits des Tours de la connaissance étaient très inclinés. Un faux pas et c'était de nouveau la chute.

— Tu étais présent quand Toa Nokama a traduit l'inscription, répondit Nuju. « À Ko-Metru, cherchez là où le ciel et la glace se rejoignent. » De plus, Ehrye affirme que le disque est près d'ici, au sommet de l'une de ces Tours de la connaissance.

Nuju se tenait au bord du toit, examinant l'espace entre cette tour et la tour voisine. Sa première tentative de déplacement par glisse-glace avait échoué misérablement. Il hésitait donc à répéter l'expérience. Il valait mieux sauter d'une tour à l'autre et se fier à ses pointes de cristal pour freiner en cas de chute.

Nuju prit son élan et sauta dans le vide. Il avait calculé sa trajectoire à la perfection, s'approchant juste assez près de la tour voisine pour y planter sa pointe de cristal et s'y accrocher. Derrière lui, sur l'autre tour, Whenua le regardait, frustré.

Nuju saisit son autre pointe et l'actionna pour qu'un puissant jet de glace en sorte. Quand il eut fini, une grosse poutre de glace reliait les deux tours.

— Accroche-toi à ça et traverse, ordonna-t-il à Whenua.

Le Toa de la terre fit quelques calculs rapides. En tenant compte de sa nouvelle masse corporelle, de l'épaisseur de la glace et de la vitesse qu'il atteindrait avant de s'écraser au sol, il conclut :

— Ça ne tiendra pas.

— Mais oui, ça va tenir, insista Nuju. Enfin, probablement, ajouta-t-il pour lui-même.

Whenua s'élança, attrapa la poutre de glace et amorça sa traversée vers la tour voisine. Il avait couvert la moitié de la distance quand la glace commença à craquer et à se briser derrière lui. Il alla frapper le flanc de la tour et réussit à s'y maintenir en y enfonçant ses marteaux-piqueurs, juste comme la poutre volait en éclats.

— Il faudrait davantage de toboggans à Ko-Metru, murmura Whenua.

— En général, les Ko-Matoran ne voyagent pas par les toits, dit Nuju. Regarde en bas.

Bien que regarder en bas n'arrivait pas en tête de ses priorités, Whenua obéit à Nuju sans discuter, car le ton de sa voix laissait présager une urgence. Vus de si haut, les Ko-Matoran ressemblaient à des organismes microscopiques, mais ce n'était pas eux qui avaient retenu l'attention de Nuju. Non, ce qui inquiétait le Toa de la glace, c'était plutôt la demi-douzaine de Keerakh qui traversaient la foule et se dirigeaient tout droit sur la Tour de la connaissance où ils se trouvaient.

— Je les croyais loin derrière nous, dit Whenua.

— Les Keerakh sont efficaces, répondit Nuju. Nous n'avons pas d'affaire ici et c'est leur travail de corriger la situation. Allez, avance.

Les deux Toa Metru arrivèrent au sommet de la tour. Whenua regarda en bas et vit que les Keerakh escaladaient le flanc du bâtiment.

— Nous avons de la visite, Nuju.

— Plus que tu ne le croies, dit Nuju en désignant le toit de la tour voisine.

Trois autres Vahki de Ko-Metru se tenaient là, aux aguets.

— Les Keerakh ont trouvé une façon d'éliminer l'élément chance dans une poursuite : ils devinent où vous allez et ils s'y rendent les premiers.

— Tu as un plan? demanda Whenua.

— Quelque chose comme ça, répondit Nuju, tout en saisissant l'une de ses pointes de cristal et en l'actionnant en direction de Whenua.

Aussitôt, le Toa de la terre fut couvert d'une épaisse couche de glace allant des épaules aux genoux.

— Que fais-tu? demanda Whenua en essayant de se libérer.

Nuju ne lui répondit pas et se retourna vers les Vahki postés sur le toit en face.

— J'ai attrapé ce voleur d'Onu-Metru après une longue poursuite. Amenez-le à Turaga Dume pour qu'il soit puni.

Les trois Vahki échangèrent un regard, essayant visiblement de comprendre à quel moment l'étrange créature aux pointes de cristal était passée dans leur camp. Puis, en faisant ce qui se rapprochait le plus d'un haussement d'épaules pour un Vahki, ils sautèrent de leur perchoir pour procéder à l'arrestation de Whenua.

D'un jet, Nuju les attrapa en plein vol et les figea en un seul bloc de glace. Puis, d'un coup de sa pointe de cristal, il brisa la glace entourant Whenua.

— Les Vahki nous ont gentiment fait cadeau d'un pont. Utilisons-le.

Les deux Toa Metru empruntèrent à la course le pont de Keerakh frigorifiés jusqu'à la tour suivante. Nuju regarda derrière lui pour s'assurer qu'Ehrye et Tehutti étaient bien cachés, quelques tours plus loin, puis il s'adressa à Whenua :

— Comment te sens-tu?

— Eh bien, je n'aurai pas envie de visiter les zones les plus froides des Archives pour un bout de temps, répliqua le Toa de la terre. La prochaine fois, avertis-moi.

— D'accord. Couche-toi, dit Nuju en s'aplatissant sur le toit.

Whenua fit de même et Nuju utilisa ses pointes de cristal pour faire apparaître une fine couche de neige et de glace sur eux deux.

— Pas un mot, murmura le Toa de la glace.

Whenua pouvait à peine comprendre ce qui se passait à l'extérieur de leur coquille de glace. Il aperçut les formes des Keerakh atteignant le toit de la tour voisine. La moitié d'entre eux se mit immédiatement au travail pour libérer leurs compagnons de leur prison de glace, tandis que l'autre moitié traversait le pont pour continuer la poursuite. L'un d'eux passa exactement au-dessus de l'endroit où les deux Toa étaient cachés.

Whenua voulut se lever. Nuju saisit son bras et lui glissa à l'oreille :

— Pas maintenant. Attends.

— Attendre? Attendre quoi?

— C'est toi l'archiviste, dit Nuju à voix basse. Que sais-tu à propos des Keerakh?

— Voyons voir. Vahki de Ko-Metru. Leur technique d'application de la loi est la désorientation. Difficile de

se cacher d'eux parce qu'ils sont toujours… un pas…
devant…

Whenua sourit.

— Exactement, dit Nuju. J'ignore comment ils font,
mais ils le font. Alors, plutôt que de les avoir à nos
trousses…

— …nous allons rester *derrière* eux, termina
Whenua. Et ils nous mèneront jusqu'au Grand disque.

Bien sûr, suivre les Vahki était plus facile à dire qu'à
faire. Lorsqu'ils étaient en état de veille, les Vahki se
plaçaient en cercle, chacun d'eux surveillant dans une
direction. Même s'ils semblaient inactifs, ils ne l'étaient
pas, car leur appareil sensoriel, lui, ne s'éteignait jamais
tout à fait. N'importe quel son ou mouvement était
immédiatement détecté. Les Vahki agissaient de la
même façon lorsqu'ils se déplaçaient, gardant ainsi un
œil sur les côtés et vers l'arrière.

C'est pourquoi Nuju avait recommandé de laisser
Ehrye et Tehutti derrière. De toute façon, Tehutti
continuait à se préoccuper de son Fikou mal catalogué
et Ehrye n'aimait pas l'idée de tomber éventuellement
aux mains des Keerakh. Alors les deux Toa Metru
firent route ensemble, se fiant sur la vitesse et la ruse
pour réussir à suivre les Vahki sans se faire voir d'eux.

L'épreuve du feu

Ils aboutirent sur la tour centrale. Là, la demi-douzaine de Vahki commença à s'activer dans tous les sens. Au bout d'un moment, chaque Keerakh avait bloqué ses quatre pattes en place sur le toit glacé et s'était mis en position d'attente.

Nuju se renfrogna.

— Évidemment, il y a un problème avec ce plan.

— Tiens, tu n'avais pas tout prévu? C'est nouveau, ça, railla Whenua. Peut-être les Vahki ont-ils besoin d'une petite distraction. Fais-moi descendre d'ici.

Nuju s'avança jusqu'au bord du toit et s'assura que les Vahki ne les avaient toujours pas repérés. Puis, il fit usage de son pouvoir élémentaire pour fabriquer une solide perche de glace qui s'étirait du toit jusqu'à l'avenue en bas.

— Je pensais que tu m'indiquerais le toboggan le plus proche, dit Whenua.

— Ça ira plus vite par ici.

— C'est vrai. Au moins, ce sera une mort rapide, conclut Whenua en se préparant à descendre. Dès que tu en as la chance, empare-toi du disque. On se revoit à Ga-Metru.

Nuju regarda le Toa de la terre glisser le long de la perche et disparaître dans la brume glacée. Puis il retourna surveiller les Vahki.

* * *

Filant sur sa perche, Whenua faisait de son mieux pour ne pas être malade. Il allait beaucoup trop vite et n'avait aucun moyen de ralentir. À une telle vitesse, il réussirait à coup sûr à distraire les Vahki… en créant un immense trou dans la rue.

Là-haut sur le toit, Nuju comptait en silence. Quand il atteignit 10, il lança deux autres jets de glace à l'aide de ses pointes de cristal. Ceux-ci firent un arc sur le côté du bâtiment et disparurent.

Whenua vit les jets de glace approcher de lui et le dépasser. Les jets formèrent une glissoire autour de la perche et le Toa se retrouva assis dessus. L'angle de la glissoire continua à changer de telle sorte que, peu à peu, Whenua perdit de la vitesse. Nuju avait bien fait ses calculs : même si Whenua heurta le sol assez violemment, il ne s'infligea aucune blessure grave.

C'est la deuxième fois qu'il réussit à me surprendre aujourd'hui, pensa Whenua. *J'espère que ça ne deviendra pas une habitude.*

Il regarda autour de lui. Quelques Ko-Matoran avaient levé les yeux de leurs livres assez longtemps pour se rendre compte qu'un Toa Metru se trouvait parmi eux. Ce n'était qu'une question de temps avant que l'un d'eux n'appelle d'autres Vahki sur les lieux. Whenua se mit au travail, utilisant ses marteaux-piqueurs pour creuser un trou dans la chaussée.

Une fois l'ouverture du trou assez large, le Toa s'y glissa. En sa qualité d'archiviste, il connaissait le sous-sol de Metru Nui mieux que n'importe quel autre Toa. Sous la chaussée se trouvaient les installations destinées à assurer la propreté du metru, les conduits de protodermis et, parfois, le nid d'un rongeur Rahi. Plus bas, il y avait l'un des nombreux souterrains des Archives, et plus bas encore... il préférait ne pas y penser.

Pour l'instant, il s'occupait de ce qui se trouvait juste sous la surface de la rue. D'un de ses marteaux-piqueurs, il continuait à percer la chaussée, et de l'autre, il détruisait ce qui se trouvait dessous. Installations souterraines, conduits étroits : il saccageait tout. Il prit soin de faire beaucoup de bruit : plus il y en avait, mieux c'était.

Il savait ce qui se passerait en surface : les Ko-Matoran chercheraient avec étonnement et agacement la cause du tumulte. Le bruit se rendrait jusqu'aux oreilles des Vahki, qui ne résisteraient pas un instant à l'envie de réprimer un tel désordre.

* * *

Tout là-haut, les Vahki donnèrent raison à Whenua. D'abord un, puis deux Vahki se penchèrent au-dessus du bord du toit pour voir ce qui se passait en bas. Incapables de distinguer quoi que ce soit à cause de la brume qui régnait toujours sur Ko-Metru, les Vahki délaissèrent leurs positions et se mirent à descendre de la Tour de la connaissance.

Nuju attendit qu'ils soient partis pour s'élancer sur le toit. Il avait la conviction que le Grand disque était là, quelque part, mais il n'en voyait pas l'ombre. Il tenta de se hisser un peu plus haut vers le sommet, mais il perdit pied et débaula vers le bord du toit.

Avant qu'il ne réussisse à utiliser ses pointes de glace, il tomba dans le vide. Au dernier moment, il étendit le bras et parvint à saisir un énorme glaçon qui pendait du toit. C'était assez particulier de trouver des glaçons à cette hauteur, mais il remarqua rapidement que celui-ci était différent de tous les autres.

Il contenait le Grand disque.

Sous la chaussée, Whenua continuait son travail tout en surveillant le trou par lequel il était passé. Dès qu'il aperçut un Keerakh s'y pencher, il sut qu'il était temps de fuir. Poussant ses marteaux-piqueurs à leur pleine puissance, il perça un trou dans le plancher, puis dans le niveau suivant. Il se précipita dans le trou et atterrit dans un souterrain des Archives.

Aucun Vahki de Ko-Metru ne le trouverait ici. Il se mit à courir le long des corridors sinueux, en direction de Ga-Metru. Si tout se passait comme prévu, Whenua rencontrerait Nuju là-bas, et ils auraient alors deux Grands disques en leur possession.

Toa Onewa et Ahkmou traversaient, côte à côte, la Carrière aux sculptures de Po-Metru, tandis que Vakama et Nuhrii fermaient la marche. La plus grande partie du trajet s'était effectuée en silence, mis à part les moments où Ahkmou donnait des indications concernant l'emplacement du Grand disque. La mémoire « défaillante » du Matoran leur avait déjà fait faire plusieurs détours.

— C'est tout près, dit Ahkmou.

— C'est la dixième fois que tu dis ça, répliqua Onewa. Je commence à croire que tu ne veux pas que nous trouvions le Grand disque.

— Bien sûr que je le veux, protesta Ahkmou. C'est vrai qu'au début, je voulais les disques pour moi seul. Maintenant, je réalise que vous, les Toa, en avez besoin pour sauver la cité, et je ne m'opposerais jamais à cela. Seulement, que ferez-vous quand vous aurez les six disques en votre possession?

— Je ne sais pas, grogna Onewa en haussant les

épaules. C'est l'idée de Vakama. J'imagine que nous allons les lui donner.

— Je vois, ricana Ahkmou. Il vous ordonne de retrouver les six disques les plus puissants de tout Metru Nui et vous lui obéissez, sans poser de questions? J'aurais aimé y penser le premier.

J'en suis sûr, songea Onewa, l'air sombre.

— Dis-moi, comment s'appelle ton ami à quatre pattes? Tu sais, celui qui aime pousser des Toa dans les fourneaux? demanda le Toa de la pierre.

— Ce n'est pas mon ami, répondit Ahkmou. C'était… un associé. Il m'a demandé de lui apporter les Grands disques. J'ai pensé qu'il valait mieux lui obéir que de susciter sa colère. Il ne m'a pas dit ce qu'il voulait en faire.

— Et tu ne le lui as pas demandé, dit Onewa. Que t'avait-il promis en échange?

— La sécurité, répondit Ahkmou. En plein ce qu'il nous faudrait à tous les deux en ce moment. Regarde!

Des Po-Matoran s'enfuyaient à toutes jambes de la Carrière aux sculptures, en proie à une grande panique. Or, il n'y avait que deux choses pour faire courir les sculpteurs : la fin de la journée de travail et un foreur solitaire. Il était malheureusement trop tôt pour que la journée de travail soit terminée.

Aussi loin qu'Onewa pût se souvenir, les foreurs avaient toujours été un problème à Po-Metru. Cette sorte de lézard Rahi atteignait normalement une longueur équivalente à la taille de deux Matoran et se nourrissait de protodermis solide. Les foreurs avaient l'habitude de creuser des galeries sous les entrepôts, où ils pénétraient et dévoraient tout, des morceaux de protodermis brut jusqu'aux articles manufacturés. On rapportait peu d'incidents entre les foreurs et les ouvriers Matoran, mais de temps à autre, l'une de ces bestioles devenait enragée et saccageait tout autour d'elle.

Entre-temps, Vakama et Nuhrii les avaient rejoints.

— Que se passe-t-il? demanda le Toa du feu.

— Nous avons un petit problème, répondit Onewa.

— Un gros problème, corrigea Ahkmou.

Le foreur solitaire avait émergé du sol au milieu de la Carrière aux sculptures. C'était le plus gros foreur qu'Onewa ait jamais vu. Il avait au moins trois fois la taille d'un Toa. De plus, ses écailles étaient tachetées de noir et ses yeux étaient rouges, deux signes qui confirmaient la démence chez cet animal.

— Je peux peut-être l'effrayer, suggéra Vakama.

Et, avant qu'Onewa ne réussisse à l'en empêcher, il lança quelques petites boules de feu en direction du

L'épreuve du feu

foreur. Vakama avait pris soin de viser loin au-dessus de la tête de l'animal, ne voulant pas le blesser.

Si le foreur avait pu sourire, il l'aurait fait. À l'approche des boules de feu, il se dressa sur ses pattes de derrière et se laissa intentionnellement toucher par les projectiles. L'instant d'après, la créature d'écailles et de griffes se transforma en un monstre de feu.

— Nous ne sommes pas dans ton metru, Vakama, lança Onewa sèchement. Le feu n'est pas la solution à tout. Les foreurs absorbent tous les pouvoirs qu'on leur lance. Nous avions un problème, mais nous voilà avec une catastrophe.

Les sculptures avaient commencé à fondre autour de l'animal. Chaque fois qu'il faisait un pas, il laissait une empreinte carbonisée dans le sol. Les deux Toa Metru pouvaient sentir la chaleur qui se dégageait de la bête, même s'ils se tenaient à une bonne distance d'elle.

— Si ce monstre parvient à sortir de la Carrière aux sculptures, c'est tout Po-Metru qui va brûler. Voyons s'il a envie de jouer.

Le Toa de la pierre souleva un énorme bloc de pierre et se prépara à le lancer. Vakama ne comprenait rien au plan de son compagnon : la majeure partie du bloc de pierre fondrait avant d'atteindre le foreur et le reste ne réussirait pas à le blesser.

Onewa projeta le bloc de toutes ses forces. Celui-ci se mit à briller, puis à fondre, au fur et à mesure qu'il s'approchait de l'animal. Cependant, une petite partie du bloc le toucha et le foreur dut se débarrasser des fragments en les chassant avec sa queue. Au contact de la pierre, la créature se transforma de nouveau, mais cette fois, en statue.

— Bon, c'est un début, dit Onewa. Ou peut-être pas…

Le foreur venait de frôler une grande statue et celle-ci s'était écroulée à son contact.

— J'ai une idée, dit Vakama, mais nous aurons besoin de l'aide de Nuhrii et d'Ahkmou.

Il se retourna et vit que les deux Matoran avaient disparu. Peu après, il entendit les bruits d'une dispute provenant de derrière l'une des sculptures.

Le Toa du feu regarda derrière la statue. Nuhrii retenait Ahkmou au sol.

— Il essayait de fuir, dit le Ta-Matoran. C'est lui qui nous a menés ici. À mon avis, il devrait nous aider à en sortir.

— Vous allez tous deux nous aider. Voici mon plan.

* * *

L'épreuve du feu

Le foreur plissa lentement ses yeux de pierre. Deux des petites créatures étaient encore dans son champ de vision, gesticulant et criant des choses qu'il ne comprenait pas. Les deux créatures plus grandes, elles, avaient disparu. Habituellement, il ne s'attaquait pas aux petites créatures, à moins qu'elles ne l'empêchent d'arriver à son repas. Mais ces deux-là étaient aussi agaçantes que bruyantes.

Le foreur laissa échapper un grognement et se dirigea vers elles d'un pas lourd, bien décidé à les faire taire.

— Maintenant! cria Onewa.

Il lança ses proto-pitons, qui allèrent se planter dans une statue voisine, puis Vakama et lui s'élancèrent de leur perchoir. En survolant le foreur, Vakama envoya un rapide jet de feu intense en direction du sol.

Le jet de feu heurta le sable juste devant la créature, transformant le sol en verre. Surpris par la lumière et la chaleur, la créature dressa sa queue vers l'avant, accrochant au passage la nouvelle surface de verre. Cela fut suffisant pour transformer le foreur de pierre en foreur de cristal.

La créature aperçut les deux Toa Metru et tenta de faire un pas vers eux, mais elle fut arrêtée par le bruit d'un craquement sec. Le nouveau corps de verre du foreur n'était pas assez solide pour supporter sa très grande taille. Chacun de ses mouvements faisait apparaître une nouvelle fêlure. Aussi la bête décida-t-elle sagement de ne plus bouger.

— Voilà qui devrait le tenir occupé jusqu'à l'arrivée des Vahki, dit Onewa. Ensuite, les archivistes pourront décider de son sort.

Onewa observait la plus haute sculpture qu'il eût jamais vue. On aurait dit une montagne à l'envers, reposant sur sa cime. Nokama avait dit que les Toa devaient chercher « une montagne en équilibre » pour trouver le Grand disque. Ce ne pouvait être que cela.

— C'est là-haut, confirma Ahkmou. Encastré dans un trou au rebord irrégulier, tout près du sommet. Mais pour le sortir de là, bonne chance!

Même s'il était le Toa de la pierre, Onewa se sentit un peu anxieux à l'idée de grimper là. En fait, il était sûr d'y parvenir, mais la descente l'embêtait.

— Es-tu bien sûr de vouloir aller là-haut tout seul? demanda Vakama. Je pourrais…

— Non, l'interrompit Onewa. Si je m'inquiète pour ma sécurité en cas de chute, je ne veux pas avoir à me soucier de la tienne en plus. Et si je ne réussis pas…

L'épreuve du feu

Vakama approuva. Il serait ridicule de risquer la vie de deux Toa Metru. Quelqu'un devait se charger d'aller chercher le Grand disque si Onewa échouait.

Le Toa de la pierre planta un de ses proto-pitons dans le flanc de la sculpture, puis commença son ascension. Vakama, Ahkmou et Nuhrii observèrent sa lente progression, chacun perdu dans ses pensées.

Onewa se déplaçait avec lenteur, mais régularité. Il était beaucoup plus puissant que lorsqu'il était un Matoran, mais cela ne l'empêchait pas d'avoir mal aux épaules et aux bras à force de déployer tant d'efforts. Et il avait encore un long chemin à parcourir.

Ses pensées dérivèrent vers le Grand temple et il songea à cet instant où lui et les autres étaient devenus des Toa. Jamais il n'aurait pu imaginer, en apportant la pierre Toa dans ce lieu, à quel point sa vie allait changer. Et il n'aurait pas nécessairement choisi ces cinq héros de Metru Nui comme compagnons non plus. Vakama était un incorrigible rêveur, Nokama semblait un peu trop fière d'elle-même, Matau était tout simplement assommant, et Nuju et Whenua se querellaient constamment.

N'empêche, il devait bien y avoir une raison pour qu'on leur ait accordé cet honneur. Tel un artisan de Po-Metru qui choisit avec soin ses outils avant d'exécuter un travail, l'Esprit divin Mata Nui avait dû les choisir avec une bonne raison en tête. Laquelle? Cela, Onewa l'ignorait.

Soudain, une terrible pensée lui traversa l'esprit. Et s'ils n'étaient pas les Matoran sensés devenir des Toa? Et s'il y avait eu une erreur? Un accident? Et si l'un d'entre eux – ou plusieurs – avait reçu une pierre Toa alors qu'il ne le devait pas? Quelle conséquence cela entraînerait-il pour Metru Nui?

Cette idée le troubla tant que sa main glissa de son proto-piton. Il le rattrapa de justesse et décida de ne plus se tracasser avec ce qui aurait pu arriver. Les choses étaient ce qu'elles étaient. Quand on donne un mauvais outil à un artisan, il s'en contente et continue à travailler de son mieux. Onewa devait faire de même.

Il approchait maintenant du sommet et pouvait enfin apercevoir le Grand disque. Il faudrait beaucoup d'habileté pour réussir à le sortir de sa niche sans faire tomber la plaque de protodermis droit sur sa tête.

Onewa planta l'un de ses proto-pitons, vérifia sa solidité, puis lâcha l'autre. Il attrapa le Grand disque de sa main libre et tira un bon coup, mais le disque ne bougea pas. Il tira encore et encore, mais en vain. Le disque restait là.

Le Toa de la pierre ne voyait qu'une façon de

parvenir à le déloger : il devait utiliser ses deux mains. Il grimpa aussi près que possible du haut de la sculpture et lâcha son piton. Il attrapa le Grand disque à deux mains et tira de toutes ses forces. Le disque se détacha un peu, puis un peu plus. Encore un peu et…

Ça y était!

Onewa jubila pendant un quart de seconde. Puis, il vit que la plaque de protodermis basculait vers lui. Ça, c'était la bonne nouvelle. La mauvaise, c'était qu'il était en train de tomber et risquait de s'écraser sur le sol, loin, loin en bas.

En désespoir de cause, il étendit le bras et saisit l'un de ses pitons. La vitesse de sa chute l'éloignait de la sculpture, mais au moins, il avait maintenant un outil en main. Il ne restait plus qu'à trouver un moyen de s'en servir.

D'en bas, Vakama vit, avec horreur, Onewa tomber dans le vide. Aucun de ses disques ne pouvait être utile au Toa de la pierre en ce moment, et détruire la plaque de protodermis ne le sauverait pas non plus. Il devait sûrement y avoir un moyen d'utiliser son pouvoir élémentaire pour lui venir en aide.

Une notion de sa vie passée près de la chaleur et des flammes lui revint tout à coup en mémoire. Il se concentra sur sa force Toa et commença à chauffer l'air en dessous d'Onewa. L'air chaud créerait un courant d'air ascendant qui, Vakama en était presque sûr, ralentirait la chute du Toa. Cela ne le sauverait pas, mais cela lui donnerait peut-être suffisamment de temps pour se sauver lui-même.

Onewa sentit qu'il perdait un peu de vitesse et qu'une espèce de coussin d'air chaud l'enveloppait. Il ignorait si c'était Vakama – ou autre chose – qui lui accordait cette chance, mais il était bien déterminé à ne pas la gaspiller. Il lança son proto-piton, qui alla se planter dans une partie de la sculpture, puis il se balança en tordant son corps, de manière à amoindrir le choc de l'arrêt. La soudaine décélération lui donna quand même l'impression que son bras allait s'arracher de son corps, mais il tint bon, grâce à sa nouvelle force Toa.

Onewa fit une pause pour reprendre son souffle et s'assurer que le Grand disque était en sécurité. C'est à ce moment qu'une ombre fondit sur lui. Le Toa leva les yeux et vit la grosse plaque tomber droit sur lui.

Il plongea tête première pour s'éloigner de la sculpture. Il lança son piton devant lui, sentit qu'il s'accrochait à la sculpture, et s'y agrippa pour se balancer d'un côté, puis vers le bas. Il était maintenant tout près du sol. Onewa atterrit sur le sable et roula sur lui-même, heureux d'être de nouveau sur la terre ferme.

Mais l'ombre revint et il entendit Vakama crier :

— Attention!

L'énorme plaque de protodermis s'écrasa avec tant de force que le sol trembla à travers tout Po-Metru. Quand le nuage de poussière se dissipa, Onewa était debout, sain et sauf. Par miracle, il s'était trouvé vis-à-vis le trou dans la plaque — celui-là même qui avait abrité le Grand disque — au moment où celle-ci s'était détachée de la sculpture pour s'abattre sur lui.

D'où il se tenait, Vakama sourit. Voilà qui ferait une merveilleuse histoire à raconter... si Onewa était d'accord, bien sûr.

Vakama, Onewa, Nuhrii et Ahkmou furent les premiers à revenir au Grand temple. Ce fut Onewa qui repéra la brigade de Vahki de Ga-Metru qui encerclait les lieux.

— Qu'en penses-tu? demanda Vakama. Nokama et Matau seraient-ils en danger?

Onewa secoua la tête.

— Si les deux Toa Metru étaient à l'intérieur, les Vahki ne seraient plus ici. J'imagine que nos amis se sont échappés et que les Vahki ratissent le coin pour les trouver.

— Ils espèrent peut-être aussi que les autres Toa Metru vont leur tomber entre les pattes. Nous devons absolument les attirer loin d'ici. Et comment des Vahki résisteraient-ils à la tentation de capturer deux puissants étrangers qui auraient fait irruption dans leur metru?

— Que dirais-tu de six puissants étrangers? ajouta Onewa en souriant.

* * *

L'épreuve du feu

— Vous ai-je déjà dit que c'était une mauvaise idée? demanda Nuhrii en essayant de réprimer ses tremblements.

— Au moins huit fois, répliqua Onewa. C'est simple. Tu cours vers les Vahki et tu leur répètes ce que nous t'avons dit.

— Pourquoi écouteraient-ils un Ta-Matoran? Nous sommes à Ga-Metru!

— Nuhrii, même si une bête Rahi couverte de boue venait leur indiquer où nous trouver, les Vahki l'écouteraient, dit Onewa. Ne t'inquiète pas. Nous aurions bien envoyé Ahkmou, mais d'étranges choses ont tendance à se produire chaque fois qu'il sort de mon champ de vision.

— Souviens-toi qu'il ne s'agit pas que de nous, ajouta Vakama. Il en va de la survie de toute la cité.

Le Ta-Matoran haussa les épaules.

— Ouais, c'est ce que vous nous répétez depuis le début.

Nuhrii déboucha sur l'avenue et fonça droit vers le Grand temple. Aussitôt, les Vahki accoururent et l'encerclèrent. Les Toa ne pouvaient pas entendre ce que le Matoran leur disait, mais s'il s'en tenait au scénario, il se plaignait d'avoir vu six étrangers troubler l'ordre public à l'autre bout du metru. Ces gaillards causaient beaucoup de dommages et empêchaient les Matoran de travailler.

Comme Onewa l'avait prévu, c'était tout ce que les Vahki avaient besoin d'entendre. De bipèdes, ils se transformèrent en créatures à quatre pattes, utilisant leurs outils en guise de pattes de devant. Puis ils se ruèrent dans la direction qu'avait indiquée Nuhrii. Dès que les Vahki furent disparus, le Ta-Matoran tomba à genoux.

Vakama courut le rejoindre.

— Bon travail, Nuhrii !

— Vous me devez une fière chandelle, dit Nuhrii. Vous me devez tous une fière chandelle.

— Espérons que la cité survivra assez longtemps pour que tous ses habitants puissent t'exprimer leur reconnaissance, fit une voix derrière eux.

En entendant cette voix familière, Vakama se retourna. Nokama se tenait là, accompagnée de Whenua, Matau et Nuju, tous munis des Grands disques. Un immense soulagement l'envahit à la pensée que les Toa Metru avaient réussi leur première mission importante.

— Nous avons suivi tes ordres, dit Nuju.

— Nous avons cherché-trouvé les Grands disques, ajouta Matau. Et maintenant, que faisons-nous ?

L'épreuve du feu

— Dis-nous comment sauver la cité, insista Whenua.

— Eh bien… Euh… commença Vakama.

Dans ses visions, il avait seulement compris que les Grands disques étaient essentiels à la sauvegarde de Metru Nui, mais il ignorait comment les utiliser.

— Allez, cracheur de feu, c'était ton idée, laissa tomber Onewa. Nous avons parcouru toute la cité pour dénicher ces trucs. Que devons-nous faire avec eux maintenant?

— Nous devons nous comporter comme des Toa, lança Nokama. Vakama nous a mis sur la bonne route. Maintenant, nous devons décider tous ensemble de la marche à suivre. Partageons nos connaissances. Les recherches de Vhisola disent que, utilisés ensemble, les six Grands disques peuvent détruire la Morbuzakh. Il semble aussi qu'une seule racine soit au cœur du problème.

— Dans la Tour de la connaissance, Ehrye m'a montré des données qui font référence à une « racine mère », dit Nuju. On la reconnaît à la rayure brune qui marque toute sa longueur.

— Où peut-elle être? demanda Whenua. Elle doit être gigantesque pour supporter autant de sarments de vigne sur une aussi grande distance. Où une telle chose peut-elle se cacher?

— Aux Archives? suggéra Onewa. On pourrait y cacher une armée de Bohrok ou trois, et avoir encore suffisamment de place pour y tenir un tournoi de koli.

Whenua fit non de la tête.

— Je reconnais qu'il y a, là-bas, de nombreux coins inexplorés, mais je crois que nous aurions remarqué la présence de cette verdure maudite. Que savons-nous à son sujet qui pourrait nous mettre sur la piste de sa cachette?

— Elle est résistante. Elle est robuste, commença Vakama. Elle ne semble pas aimer le froid, mais elle s'accommode bien de la chaleur. Je n'ai jamais vu rien d'autre survivre dans un puits à feu.

— Le Grand fourneau, murmura Nuhrii.

Quand tous les Toa se tournèrent vers lui, il ajouta :

— Vous comprenez? Si elle aime la chaleur, il n'y a pas de meilleur endroit pour se cacher.

— Il a raison, dit le Toa du feu. En dehors des puits à feu, qui sont trop bien gardés pour abriter une cachette, le Grand fourneau est la plus importante source de chaleur de Ta-Metru. En faisant fuir les Matoran du coin, la racine mère de la Morbuzakh pouvait facilement s'y terrer.

— Nous savons donc ce qu'il nous reste à faire,

conclut Nokama. S'il y a une chance pour que ce danger public soit dans le Grand fourneau, nous devons y aller. Et Vakama va nous y conduire.

— Est-ce prudent-sage? demanda Matau. Qu'est-ce qui le rend supérieur à nous?

Nokama voulut répondre, mais Vakama l'en empêcha.

— Être le chef ne m'intéresse pas. La seule chose qui me tient à cœur, c'est de sauver la cité. Je viens de Ta-Metru et je connais le coin mieux que vous tous. Je crois donc que Nokama a raison en disant que c'est moi qui devrais vous y mener. Quand la Morbuzakh sera vaincue, vous ferez comme bon vous semble.

— Assez parlé, passons à l'action, lança Nuju. Finissons-en avec cette Morbuzakh!

— Tu as une raison en particulier pour être si pressé? demanda Onewa.

— Je déteste les plantes, répondit Nuju en s'éloignant.

Malgré leurs vives protestations, les Matoran furent du voyage vers Ta-Metru. Matau plaisanta en expliquant que leur rôle serait de tenir la racine mère occupée pendant que les Toa attendraient le bon moment pour attaquer. Il leur assura que ce moment se produirait avant que la plupart d'entre eux ne soient plus de ce monde. Nokama eut ensuite bien du mal à calmer les Matoran. Aussi pria-t-elle fermement Matau de garder ses plaisanteries pour lui.

Ils empruntèrent les routes secondaires pour se déplacer dans la cité. Pour le moment, les Vahki des six metru étaient en alerte, occupés à surveiller les toboggans. Whenua fit remarquer qu'il était dommage que les Toa n'aient pas le pouvoir de redevenir des Matoran à l'occasion, ne serait-ce que pour se déplacer plus discrètement.

— Tu peux redevenir un Matoran si ça t'intéresse, répliqua Matau. Moi, j'adore être un héros Toa!

Quand ils atteignirent les frontières de Ga-Metru, Vhisola se mit à regarder derrière elle à tout moment. Alors que les Toa humaient l'air pour détecter tout signe de la présence des Vahki, elle scrutait le sol, les ruelles sombres et tous les autres endroits d'où le danger pouvait surgir.

— Qu'y a-t-il, Vhisola? demanda Nokama. Tu es avec six Toa. Tu es en sécurité.

— Je ne crois pas, murmura la Matoran. Vous non plus, d'ailleurs, aucun d'entre vous. Ne savez-vous pas ce qu'on raconte à propos de la Morbuzakh?

— Dis-moi.

L'épreuve du feu

— Quand la Morbuzakh apprend que vous êtes à sa recherche, commença Vhisola avant de s'arrêter et de regarder autour d'elle, elle vous cherche à son tour, ajouta-t-elle dans un souffle si faible que Nokama eut peine à l'entendre.

De l'autre côté de la limite nord de Ta-Metru se trouvait un quartier pratiquement désert. C'était là que la Morbuzakh avait fait ses premiers ravages. Beaucoup de Matoran avaient disparu et un plus grand nombre encore avait fui plus loin dans le metru, chacun cherchant à sauver sa peau. Vakama n'avait pas prononcé un mot depuis qu'ils avaient pénétré dans ce coin de la cité.

— Je n'aime pas cet endroit, laissa échapper Matau en jetant un coup d'œil à la ronde. C'est froid-mort.

— Où sont tous les Matoran? demanda Nokama.

— Si c'est comme à Po-Metru, ils vivent maintenant chez des amis ou des collègues de travail, répondit Onewa. Certains insistent pour habiter près des brigades de Vahki, où ils se croient plus en sécurité. S'ils travaillent en périphérie, ils font attention de ne pas voyager seuls. Ils interrompent sans cesse leur travail, de peur de ne pas entendre le son d'un sarment de vigne qui approche.

L'épreuve du feu

Whenua se rembrunit.

— Rien dans l'histoire de Metru Nui ne laissait présager qu'une telle crise pouvait se produire.

— C'était pourtant inévitable qu'une telle chose arrive un jour, dit Nuju. Nous faisions trop confiance aux autres pour nous protéger : les Toa, les Vahki et Turaga Dume. Quand il se produit un événement qui échappe à leur contrôle, le seul choix qui reste aux Matoran, c'est de courir. J'aurais pu le prédire.

— Alors pourquoi ne l'as-tu pas fait? demanda Vakama en montrant les bâtiments abandonnés autour d'eux. Pourquoi personne ne l'a fait?

— Je prédis que nous ferions mieux de nous cacher, interrompit Onewa. Une brigade de Vahki s'en vient vers nous.

— Par ici! ordonna Vakama.

Il guida ses compagnons Toa Metru et les six Matoran vers une ruelle étroite. Là, il fit fondre la serrure d'une vieille porte, à l'aide de son pouvoir élémentaire, et tous se réfugièrent à l'intérieur du bâtiment.

Une chaleur accablante attendait les Toa. Même si on n'apercevait aucun Matoran dans la forge, de grands feux étaient allumés et la fumée les empêchait presque de respirer. Des outils étaient éparpillés sur les établis et certains articles avaient même été laissés au feu, où ils s'étaient mis à fondre.

— Ils ont quitté les lieux en vitesse, dit Whenua. Peut-être devrions-nous en faire autant?

Le Toa de la glace sentit quelque chose frapper son armure et rebondir. Cela avait produit un son clair, comme s'il s'était agi d'un caillou. Quand cela se reproduisit, Nuju dit :

— Qu'est-ce que c'est que ça?

Le regard perçant de Nokama repéra l'endroit où le deuxième objet était tombé. Elle se pencha pour le ramasser. C'était un objet rond, gros comme le quart du diamètre d'un disque Kanoka. Son enveloppe extérieure était tachetée, très dure, et arborait les couleurs du feu.

— On dirait un genre de graine…

Une autre tomba, puis une autre. Ce fut alors que Nokama comprit toute l'ampleur des paroles qu'elle venait de prononcer. Elle regarda au plafond : il était couvert de graines et celles-ci commençaient à tomber à un rythme accéléré.

— Oh, Mata Nui, protégez-nous! murmura-t-elle. Des graines de Morbuzakh! C'est sûrement ça!

Les Toa Metru étaient prisonniers d'une averse. Quand les graines heurtaient le sol, de petits sarments de vigne surgissaient de l'enveloppe et s'enroulaient autour de l'objet le plus près, s'y accrochant avec une force surnaturelle.

— Sortons d'ici! cria Vakama.

Il fit deux pas, mais des sarments brunâtres vinrent s'enrouler autour de ses jambes, le projetant au sol avec violence. D'autres graines le frappèrent, leurs sarments le retenant avec autant d'efficacité que s'ils avaient été des chaînes. Pendant que les graines continuaient à tomber, il put voir les autres Toa se débattre. Les sarments leur liaient les bras au corps, et ils ne pouvaient pas atteindre leurs outils.

Le bruit des graines tambourinant sur le sol diminua. Le plancher de pierre était déjà couvert d'une couche de graines à germination rapide. Tel un nid de bébés serpents, les petits sarments grouillaient et bataillaient ferme pour immobiliser les Toa. Nokama était dans la plus fâcheuse position, les sarments recouvrant son corps des pieds jusqu'au cou, et s'approchant de son Masque de pouvoir.

Aucun des six Matoran n'avait réussi à franchir la porte. Ils étaient épinglés aux murs par les vrilles, tels des insectes prisonniers d'une toile d'araignée.

Vakama roula sur le sol, essayant de trouver un fragment de protodermis au rebord coupant qu'il pourrait utiliser pour scier les sarments. Whenua était debout, frappant son corps contre le mur, tentant vraisemblablement d'assommer la plante pour s'en défaire.

Nuju réussit à se libérer le premier. Nokama n'en crut pas ses yeux quand elle l'aperçut couper les sarments qui le retenaient au moyen d'un glaçon. Dans le temps de le dire, il était libre et se ruait vers elle pour la secourir.

— Nous devons aider les autres à sortir d'ici. Aide-moi!

Pendant que Nuju se précipitait pour libérer les autres Toa, Nokama utilisait ses lames hydro pour libérer les Matoran. Puis, tous ensemble, ils se ruèrent vers la sortie avant que les sarments ne puissent les agripper de nouveau. Vakama claqua la porte derrière eux, écrasant du pied les sarments qui tentaient de se glisser dessous.

— Nuju! Onewa! Détruisez le bâtiment! hurla-t-il.

Onewa et Nuju firent appel à leur pouvoir élémentaire. Un pilier de pierre s'éleva d'un côté du bâtiment et un pilier de glace apparut de l'autre côté. D'un signe, les deux Toa relâchèrent leur contrôle et envoyèrent les deux piliers fracasser le toit du bâtiment. La forge s'écrasa sur elle-même, ployant sous le poids de la pierre et de la glace, et enterrant la plante.

Nokama sentit un frisson parcourir son corps.

— Pensez-vous que ça va l'arrêter?

Vakama secoua la tête.

— Pour un certain temps, peut-être, répondit-il. Tu sais ce que ça veut dire, n'est-ce pas?

— La plante se reproduit, dit Whenua, et nous n'avons aucune idée du nombre de graines qui sont sur le point de germer. Leurs racines vont rejoindre la racine mère et la Morbuzakh sera partout.

— Elle pourrait envahir notre cité-patrie, dit Matau, pensif. Tant de sarments à détruire et si peu de temps.

Vakama vérifia que son lanceur de disques était chargé. Puis il s'adressa au groupe et dit :

— Allons-y! Nous avons du désherbage à faire.

Chemin faisant, Nokama dit à Nuju :

— Merci de ton aide; je l'ai appréciée. Comment as-tu réussi à te libérer?

— J'ai vu ce que les sarments faisaient aux autres, dit-il en regardant droit devant lui. Alors, quand ils se sont attaqués à moi, j'ai pris une profonde respiration et j'ai gonflé ma poitrine. Puis, quand j'ai expulsé l'air de mes poumons, cela a créé l'espace nécessaire pour bouger. Je n'avais pas besoin de mes pointes de cristal pour fabriquer quelque chose d'aussi simple qu'un glaçon.

— C'est génial!

Nuju haussa les épaules.

— Je viens de Ko-Metru. Nous pensons plus loin que le bout de notre nez.

Le Grand fourneau n'était pas aussi énorme ni aussi imposant que le Colisée du centre de Metru Nui. Il n'inspirait pas un sentiment de puissance et de mystère comme le Grand temple de Ga-Metru le faisait. Mais chaque Ta-Matoran le considérait avec admiration et respect. Il était le symbole de ce qui avait fait la renommée du metru : le pouvoir de transformer du protodermis solide en un liquide en fusion, et le talent de tirer de cette matière brute des outils que les Matoran utilisaient chaque jour.

Vakama se tenait près de l'entrée. Il observait les murs rouge foncé du bâtiment et se demandait ce qui pouvait bien se cacher au milieu des flammes.

— Alors, c'est ça le plan? demanda Onewa, incrédule. Nous frappons à la porte et nous demandons si la Morbuzakh peut venir jouer dehors avec nous?

L'épreuve du feu

— Je ne dis pas que nous devrions prêter attention à toutes les craintes de Vhisola, répliqua Nokama en tentant de rester calme, mais si elle a raison…

— Si elle a raison, alors nous ne nous attaquons pas à une simple plante, coupa Matau. Elle peut penser-planifier. Et elle sait probablement déjà que nous sommes ici.

— Dans ce cas, il n'y a pas de temps à perdre, dit Vakama. Nuhrii, toi et les autres Matoran vous allez nous accompagner à l'intérieur, mais restez derrière. Personne ne peut dire ce que nous allons trouver là-dedans.

— L'un de nous devrait rester dehors pour aller chercher de l'aide au besoin, suggéra Ahkmou. Je me porte volontaire.

— Si nous échouons, dit Onewa, Metru Nui ne pourra rien pour nous. Et puis, tu avais tellement hâte de trouver les six Grands disques, Ahkmou, tu devrais rester pour les voir à l'œuvre.

Les six Toa Metru échangèrent un regard. Le temps n'était plus à la parole. Chacun d'eux savait que les défis qu'ils avaient relevés jusqu'ici ne se comparaient en rien à ce qu'ils essaieraient d'accomplir maintenant. Ils redoutaient que ceci soit peut-être la dernière aventure de l'un ou de plusieurs d'entre eux. Le moment des adieux se déroula en silence.

Vakama fit fondre la serrure de l'énorme porte. Il lança un dernier regard à ses compagnons et poussa la porte du Grand fourneau.

Toa et Matoran pénétrèrent dans le bâtiment. Une petite salle dénudée se trouvait juste derrière la porte. Elle permettait aux Matoran de se préparer avant d'aller affronter la chaleur infernale qui régnait à l'intérieur. Ils pouvaient aussi s'y reposer après avoir travaillé quelque temps dans le fourneau. Derrière cette salle se trouvait la zone tampon qui empêchait la chaleur intense d'atteindre les murs extérieurs du bâtiment.

Curieusement, il n'y avait aucune trace de la plante Morbuzakh sur les lieux. Vakama eut un moment de panique. Et s'ils s'étaient trompés? Et si la racine mère n'était pas ici?

Dans ce cas, nous la trouverons, peu importe où elle se cache, se dit-il. *Nous n'avons pas le choix.*

Il attrapa la poignée de la porte de la zone tampon. Vakama pouvait déjà sentir la chaleur à travers la porte. Dans son esprit, il se sentait prêt à trouver à peu près n'importe quoi derrière cette porte, mais dans son cœur, il se demandait si six nouveaux Toa

Metru peu expérimentés auraient la force de vaincre.

Muni de son lanceur de disques, Vakama ouvrit la porte et se rua à l'intérieur. De faibles pierres de lumière projetaient une lueur troublante sur la longue salle étroite. L'air était rempli d'un son étrange et doux qui semblait venir de partout à la fois.

— Qu'est-ce que c'est? demanda Vakama. On dirait un sifflement.

— Non, pas un sifflement, répliqua Nokama. C'est plutôt… un murmure.

Les Toa Metru s'arrêtèrent net et regardèrent autour d'eux. Le plancher de pierre de la salle était brisé en plusieurs endroits. De petites plantes toutes en vrilles poussaient à travers les fentes, leurs bourgeons empestant l'air d'une odeur de pourriture. Une inspection un peu plus approfondie révéla que les bourgeons émettaient une pulsation.

— Ce sont elles. Le bruit vient d'elles, dit Whenua. Seraient-elles…

Onewa avança prudemment, en évitant de toucher aux plantes.

— Oui, confirma-t-il. Ce sont de jeunes plants de Morbuzakh. De nouveaux sarments qui poussent pour venir anéantir notre cité.

Le murmure s'amplifia. Les jeunes plants sentaient

qu'ils n'étaient pas seuls. Quelques-uns commencèrent à remuer, comme s'ils étaient bercés par le vent. Puis d'autres firent de même, car une certaine agitation se répandait à travers la zone tampon.

— Nous ne pouvons pas laisser ces trucs pousser-grandir, dit Matau.

— Voyons si elles apprécient un peu de fraîcheur.

Nuju régla ses pointes de cristal à faible intensité et vaporisa une fine bruine de glace au-dessus des plants. Les Toa la virent recouvrir toute la récolte. Les plants se mirent à s'affaisser sous le poids de la glace, leur murmure prenant de l'ampleur, puis diminuant. Finalement, le silence régna dans la salle.

Nokama fit un pas et de l'eau gicla sous ses pieds.

— Nuju! La chaleur fait fondre ta glace.

— Alors je vais en faire davantage, répondit le Toa de la glace.

Il envoya de plus en plus d'énergie dans ses pointes, accumulant les couches de givre sur les plants. Chaque fois, la chaleur du Grand fourneau faisait fondre la glace et les plants recommençaient à remuer. Alors Nuju augmenta la force de son pouvoir.

La lutte entre le Toa et les flammes de Ta-Metru dura de longues minutes. Les autres Toa voyaient Nuju s'affaiblir. Soudain, il tituba et serait tombé si Matau ne l'avait pas attrapé.

— Mon pouvoir… presque plus… prononça Nuju, à bout de souffle.

Nous avons fait erreur, pensa Vakama. *La vraie menace nous attend derrière cette salle. Nous aurions dû garder notre énergie pour elle. Mais pourquoi la Morbuzakh ne protège-t-elle pas ces jeunes plants?*

Le Toa du feu trouva réponse à sa question dans l'instant qui suivit. Des vagues d'épines affluèrent des murs, tranchant l'air avant de retomber sur les Toa Metru.

— Toa! Défendez-vous! hurla Vakama en projetant des jets de feu pour brûler les projectiles.

Whenua cria quand une des épines écorcha son armure. Il activa aussitôt ses marteaux-piqueurs et commença à les déchiqueter au fur et à mesure qu'elles approchaient. De l'autre côté de la salle, Matau créa un tourbillon d'air pour souffler les épines au loin, pendant que Nokama utilisait ses lames hydro pour parer leurs attaques. Onewa semblait avoir le plus de difficulté, mais il continua malgré tout à se tenir debout, laissant les épines le frapper, pour gagner du temps et ainsi permettre aux Matoran de se mettre à l'abri.

Les six Matoran s'étaient mis à plat ventre et

progressaient tant bien que mal vers la porte, pataugeant dans la glace fondante qui jonchait le sol. Nuhrii leva la tête et vit que la pluie d'épines était encore plus intense près de l'issue.

— Nous ne parviendrons jamais à sortir d'ici! s'écria-t-il.

— Nous devons réussir, dit Ahkmou. Pas question que je reste ici!

— Tais-toi, Ahkmou! trancha Tehutti. Nous sommes ici par ta faute. Bon, j'ai déjà vu quelque chose aux Archives qui pourrait nous aider. Donnons-nous tous la main!

Les cinq autres Matoran obéirent à Tehutti.

— Maintenant, concentrez-vous, dit l'Onu-Matoran. Nous devons nous concentrer sur notre unité. Cela t'inclut aussi, Ahkmou!

Au début, leurs efforts semblèrent vains. Puis une lueur entoura les six Matoran et leurs corps devinrent peu à peu flous et indistincts. Il y eut soudain un brillant éclat de lumière et lorsqu'il faiblit, il n'y avait plus qu'un Matoran là où il y en avait six auparavant.

— Nous ne faisons qu'un, dit l'être d'une voix qui semblait être la combinaison de celles des six Matoran. Nous sommes le Matoran Nui.

Les yeux de ce nouvel être scrutèrent la salle. Les

Toa Metru se battaient au péril de leur vie contre l'avalanche d'épines, mais sans résultat.

— Nous comprenons maintenant, dit le Matoran Nui. Les ambitions d'un Matoran ne sont jamais plus importantes que Metru Nui dans son ensemble. Nous devons aider les Toa.

Le Matoran Nui fonça droit devant, se déplaçant si vite qu'il réussissait à esquiver les épines. Puis, d'un seul coup, il démolit la porte menant au Grand fourneau. En entendant un tel fracas, les Toa Metru se retournèrent et virent avec étonnement le nouvel être qui se tenait devant eux.

— Allez-y! lança le Matoran Nui. Anéantissez la Morbuzakh et sauvez la cité! C'est votre destinée!

Vakama avait un million de questions en tête, mais pas une seconde pour les poser. S'adressant aux autres Toa, il cria :

— Suivez-moi!

Les six héros de Metru Nui s'engouffrèrent dans le cœur du Grand fourneau, vers ce qui serait peut-être leur dernier combat. Le Matoran Nui les regarda aller en murmurant :

— Que Mata Nui vous protège.

12

À l'extérieur du Grand fourneau, le Matoran Nui se divisa et les six Matoran réapparurent. Clignant des yeux, ils titubèrent, renversés par l'expérience qu'ils venaient de vivre.

— C'était incroyable... le pouvoir! s'exclama Ehrye.

— Faisons-le de nouveau, dit Vhisola. Imaginez tout ce que nous pourrions faire pour notre cité.

Ahkmou secoua la tête et recula.

— Non, non. Pas question. Si vous voulez risquer vos vies, tous les cinq, allez-y. Mais ne comptez pas sur moi. Je prends soin de ce que j'ai de plus important : moi.

— Alors, va-t-en, dit Tehutti. Si l'unité, le devoir et la destinée ne valent rien à tes yeux, Ahkmou, retourne à Po-Metru.

Le Po-Matoran éclata de rire.

— On se reverra. Soyez sans crainte. Et on saura alors quelle destinée vaincra.

Sur ces paroles, Ahkmou tourna les talons et disparut dans l'obscurité.

* * *

Pendant ce temps, les Toa Metru vivaient un vrai cauchemar.

L'immense chambre intérieure du Grand fourneau avait été transformée en un refuge de la racine mère de la Morbuzakh. Une gigantesque tige, épaisse et torsadée, qui s'étendait du plancher au plafond, dominait tout l'espace. La rayure qui courait sur toute sa longueur l'identifiait comme étant la source du fléau de la Morbuzakh.

La racine était parsemée de tiges secondaires qui s'étiraient et s'enroulaient sur les murs et les planchers. La racine mère était pratiquement intégrée au Grand fourneau. Les Toa Metru pouvaient imaginer chacune de ces tiges s'étendant au-delà du fourneau, plusieurs sarments de vigne y germant comme autant de menaces pour Metru Nui.

Une chaleur intense s'abattait par vagues sur les Toa. Déjà, Nuju et Whenua commençaient à faiblir. Vakama se tourna vers la Toa de l'eau.

— Nokama, tu dois utiliser ton pouvoir pour tenter de nous garder au frais, lança-t-il. Vas-tu y parvenir?

— Je ne sais pas, répondit Nokama. Je vais faire de mon mieux.

La Toa de l'eau se concentra et s'employa de toutes

ses forces à tirer de l'humidité de l'air environnant pour la condenser en une bruine rafraîchissante. Elle y arrivait au prix d'énormes efforts, la chaleur ne l'épargnant pas, elle non plus. Elle ne put s'empêcher de se demander combien de temps elle tiendrait le coup et ce qui se passerait si elle échouait à la tâche.

Vakama sentit le découragement l'envahir. La racine mère était beaucoup plus grosse et plus effrayante qu'il ne l'avait imaginée. Comment six disques, même six Grands disques, pouvaient-ils venir à bout d'un tel monstre? Mais quel autre choix s'offrait à eux?

— Préparez les disques, dit-il. Nous allons tirer ensemble et...

— Noooon!

La voix jaillit comme un éclair dans l'esprit de chacun des Toa.

— Vous ne détrrruirrrez pas la Morrrbuzakh!

— Quoi? Qui est-ce? dit Onewa en jetant un regard à la ronde.

— C'est moi! lança la voix avec éclat.

— Par Mata Nui, murmura Nokama. C'est la plante Morbuzakh... Elle parle!

— Bien sûrr que je parrrle. Je parrrle. Je pense. Je sens. Et Metrrru Nui serrra bientôt à moi!

Vakama ne pouvait voir ni œil ni bouche sur la

racine. En fait, la plante ne parlait pas véritablement. C'était plutôt les Toa qui entendaient ses pensées. Pire, ils pouvaient ressentir ce qu'elle ressentait – un puissant désir de posséder la cité et d'en chasser tout ce qui lui était étranger. Il y avait autre chose encore, comme des traces d'une forme d'intelligence, mais celles-ci étaient trop vagues pour que les Toa puissent les comprendre.

— Mes brrras rrrejoignent chaque coin de cette cité, continua la Morbuzakh. Je suis dans les fourrrneaux, les canaux, les toboggans. Les Matorrran vivent et trrravaillent seulement parrrce que j'en ai décidé ainsi. Mais, s'ils prrrovoquent ma colèrrre…

Un sarment de vigne surgit tout à coup du mur, s'enroula autour d'un conduit et le réduisit en miettes.

— Je vais d'aborrrd chasser les Matorrran des faubourrrgs afin qu'ils ne s'échappent pas. Puis je vais me déclarrrer maîtrrresse des lieux. Les surrrvivants pourrront serrrvirrr la Morrrbuzakh… ou mourrrirrr.

C'était toute l'horreur contenue dans ces paroles qui cloua les Toa sur place. Il ne s'agissait pas d'une simple menace, comme lorsque les bêtes sauvages Rahi s'aventuraient dans la cité. La Morbuzakh était intelligente, sournoise et plus diabolique qu'ils ne l'avaient imaginé. Nul ne douta un instant que, laissée

en liberté, la plante mettrait son plan à exécution.
Metru Nui tomberait sous sa gouverne et les Matoran
deviendraient ses esclaves, ou pire encore.

Les Toa étaient si abasourdis qu'aucun d'entre eux
ne remarqua le sarment qui arriva furtivement derrière
Whenua. Il frappa à une vitesse incroyable, arrachant le
Grand disque des mains du Toa et l'emportant vers le
plafond. Whenua lâcha un cri et empoigna le sarment,
qui le souleva dans les airs.

Nuju accourut, fit un bond et attrapa les jambes de
Whenua. Lui aussi fut arraché du sol et tiré vers le
plafond. Le sarment de Morbuzakh fouetta l'air avec
violence, essayant de se défaire des Toa.

— Accroche-toi! cria Nuju.

— Merci! J'avais la même idée! railla Whenua. Es-tu
monté jusqu'ici, juste pour me dire ça?

En bas, les sarments avaient fait prisonniers Vakama
et Onewa, mais ils n'avaient pas réussi à capturer
Matau. Plus vif que l'éclair, le Toa de l'air fonça droit sur
la racine mère.

— Morbuzakh, apprête-toi à faire la connaissance
d'un héros Toa!

Un nouveau sarment surgit alors de la racine, sous
les yeux ébahis de Matau. Avant que le Toa ait eu le
temps de changer de direction, le sarment le frappa en

plein vol et l'envoya s'écraser contre le mur.

Nokama, qui luttait toujours pour maintenir son pouvoir actif, vit Vakama et Onewa échouer dans leurs tentatives de faire lâcher prise à la plante en utilisant, l'un son pouvoir de feu, et l'autre son pouvoir de pierre. Là-haut, Nuju faisait usage de son pouvoir de glace, mais cela ne suffisait pas pour libérer Whenua et lui de l'emprise de la plante.

Nous nous trompons sur toute la ligne, songea Nokama. *Nous livrons tous des batailles individuelles, au lieu de travailler en équipe. Il doit pourtant y avoir un moyen d'arrêter ce monstre!*

Sans penser aux conséquences de son geste, Nokama cessa net ses efforts pour rafraîchir les Toa au milieu de cette chaleur torride. Elle lança un jet d'eau jusqu'au sarment qui retenait le Grand disque de Whenua et cria :

— Nuju! Gèle ça!

Le Toa de la glace lui obéit, transformant le jet d'eau incurvé en un crochet de glace. Il étendit le bras pour le saisir et l'utilisa pour tirer l'extrémité du sarment vers lui.

— Whenua! Maintenant!

Whenua allongea son marteau-piqueur et trancha le sarment. La partie retenant le Grand disque céda et plongea vers le sol en se tordant.

Nokama lança un coup d'œil à Matau qui était de nouveau sur pied. Son regard croisa le sien, et Nokama sut qu'il était prêt. Il leva ses lames aéro-tranchantes et lança un puissant jet d'air sur le sarment en chute libre, poussant celui-ci en direction de Nokama. La Toa de l'eau l'attrapa au vol et s'empara du Grand disque qu'elle brandit fièrement.

— Ta première défaite, espèce de monstre! criat-elle à la racine mère. Et pas la dernière!

— Vous pouvez me rrralentirrr, mais pas me vaincrrre! dit la Morbuzakh dont la voix sonnait comme un essaim d'insectes métalliques. Je fais désorrrmais parrrtie de Metrrru Nui. Je suis cette cité et cette cité est moi!

— Alors, nous allons t'arracher comme une vulgaire mauvaise herbe! cria Vakama. D'une façon ou d'une autre, ton règne s'achève aujourd'hui!

Le sarment qui retenait Vakama se rapprocha de la racine mère. Vakama profita de l'occasion pour lancer quelques boules de feu à la Morbuzakh, mais la plante ne fit que les absorber en disant :

— Oui! Encorrre! Le feu me nourrrit!

Whenua regarda Matau en contrebas, et celui-ci lui fit un signe affirmatif. Aussitôt, le Toa de la terre lâcha le sarment et se jeta dans le vide en entraînant Nuju avec lui. Quand les Toa furent à mi-chemin de leur chute, Matau envoya deux fortes bourrasques en leur direction. Le vent les souleva et les projeta de l'autre côté de la chambre, tout droit sur les sarments qui retenaient Vakama et Onewa prisonniers.

Le Toa de la glace et le Toa de la terre heurtèrent les tiges de plein fouet. L'impact fut assez fort pour libérer les deux Toa, qui tombèrent aussitôt sur le sol. Cependant, ils n'eurent pas le loisir de se reposer, car les sarments de Morbuzakh fusaient de tous côtés, tentant d'agripper les Toa ou leurs Grands disques.

Commença alors, pour les Toa Metru, une lutte sans merci. Ils n'avaient pas seulement affaire à un ennemi puissant, quoique immobile. Ils devaient affronter les milliers de « bras » de la Morbuzakh, chacun aussi fort que le précédent, qui les frappaient et qui disparaissaient en tournoyant. Les outils Toa jetaient des éclairs. Du feu, de la glace, de l'eau, de la pierre, de la terre et des cyclones remplirent l'air. Mais pour chaque sarment que les Toa abattaient, trois nouveaux poussaient pour les remplacer.

Les Toa finirent par s'épuiser. Sans une pratique intensive du contrôle et du dosage de leurs forces élémentaires, il était normal que leurs pouvoirs perdent de leur puissance. Petit à petit, les sarments les éloignèrent de la racine mère, croissant avec plus de vigueur au fur et à mesure qu'ils sentaient les Toa ralentir la cadence.

— Vous ne pouvez pas m'arrrêter, siffla la Morbuzakh. Vous n'avez pas la forrrce pour le fairrre. C'est parrrfait. Vous êtes trrrop faibles pourrr êtrrre des hérrros, mais vous ferrrez d'excellents esclaves.

— Elle a raison, dit Vakama. Ce n'est pas de cette façon que nous allons gagner.

Onewa repoussa un autre sarment et regarda le Toa du feu, incrédule.

— C'était ton idée et maintenant, tu abandonnes? Quel genre de Toa es-tu?

— Cessons le combat, dit Vakama sèchement. C'est notre seule chance.

— Tu es tombé sur la tête! dit Matau. Nous cessons de lutter-combattre et les sarments vont nous envahir et nous tirer vers…

Le Toa de l'air s'interrompit et fit un large sourire.

— Pour un cracheur de feu, Vakama, tu es parfois aussi rusé-malin qu'un Le-Matoran.

Vakama vérifia que tous les Toa avaient leur Grand disque en main. Puis il cria :

— Maintenant!

D'un seul mouvement, les Toa laissèrent tomber leurs outils Toa et cessèrent de lutter contre les sarments.

La Morbuzakh ne sembla pas savoir comment réagir. Quand la racine mère parla dans leurs esprits, il y avait de la confusion dans sa voix.

— Vous n'êtes pas du genrrre à abandonner. Vous me jouez un tourrr. Mes sarrrments pourrraient vous brrroyer surrr place!

— Alors, fais-le, dit Nokama. Ne te contente pas d'en parler.

— Dites, quand nous aurons terminé avec cette chose, nous pourrions peut-être la transplanter à Ga-Metru, suggéra Onewa. Vous savez, dans le jardin près des canaux. Les Ga-Matoran pourraient y grimper et y construire des logements.

— Pourvu qu'elle arrête de parler, dit Nuju. Il n'y a rien que je déteste plus qu'un végétal bavard.

— Fais à ta guise, Morbuzakh, déclara Onewa d'un ton sec. J'aime mieux alimenter le Grand fourneau que de vivre dans une cité dirigée par un amas de végétaux repoussants, puants et envahissants, bons à rien, sinon à boucher les canaux.

Le hurlement de la Morbuzakh fut si violent que les Toa pensèrent un instant que leur crâne allait se fendre en deux. Six sarments surgirent, saisirent les héros par la taille et les firent virevolter jusqu'à la racine mère. La pression des sarments était si forte sur les poumons des Toa qu'elle menaçait de les vider de leur air.

— Avant de me serrrvirrr, vous allez souffrrrirrr!

Vakama brandit son Grand disque et les autres Toa firent de même.

— Non, Morbuzakh. La belle saison est terminée. Le temps de la récolte est arrivé!

Un pouvoir pur jaillit alors des six Grands disques, produisant des bandes d'énergie aveuglantes qui s'enroulèrent les unes autour des autres. Des éclairs apparurent là où deux bandes se touchaient, frappant les sarments qui cherchaient à atteindre les Toa. Puis les bandes d'énergie fusionnèrent pour former une sphère flottant dans les airs, qui se dirigea lentement, mais inexorablement, en direction de la Morbuzakh.

La Morbuzakh tenta désespérément d'échapper à son sort. Elle se tordit et fracassa les murs du Grand fourneau par la simple force de ses sarments. Une pluie de débris tomba du plafond alors que les tiges supérieures de la plante tentaient de s'échapper à l'air libre. De gros blocs de protodermis se détachèrent, tombèrent parmi les flammes et se consumèrent en un instant, mais la Morbuzakh luttait toujours. Elle faisait vraiment corps avec cette forteresse de feu, mais voilà que les deux étaient sur le point de s'écrouler.

Profitant de la distraction, les Toa se libérèrent des sarments qui les avaient tenus prisonniers. Vakama regarda en l'air et vit que son Grand disque, comme ceux des autres Toa, n'émettaient plus de pouvoir. Mais la sphère était toujours là, grossissant à vue d'œil.

— Toa, nous devons quitter les lieux ! Maintenant ! cria-t-il. La Morbuzakh va faire s'écrouler le Grand fourneau sur nous !

Survint alors un bruit dont les Toa Metru allaient se souvenir toute leur vie : le cri de la racine mère.

Cela mit un terme à toute forme de discussion. Les Toa se ruèrent plutôt vers la porte donnant sur la zone tampon, ne s'arrêtant que pour reprendre leurs outils. Ils coururent jusqu'à ce qu'ils soient suffisamment loin du Grand fourneau et de la chose qui y avait élu domicile.

Vakama fut le seul à oser regarder derrière lui. Au travers des murs qui s'effondraient, il put voir que la sphère d'énergie enveloppait maintenant la racine mère. Ses parois avaient coupé aisément la multitude de sarments, de tiges et de racines qui ancraient la Morbuzakh dans le sol. Tout autour, les pousses de la plante qui avait menacé Metru Nui se tordaient et tombaient en poussière.

La racine mère demeurait suspendue dans les airs, prisonnière de la sphère. Coupée du sol, de ses tiges et de ses sarments, la racine ne pouvait plus tirer d'énergie des feux de Ta-Metru ni l'insuffler au reste de la plante. Elle était vivante, mais isolée. Cette créature, qui avait été liée à toute la cité de Metru Nui, flottait maintenant en l'air, affreusement seule. Ses hurlements de colère finirent par s'éteindre dans les esprits des Toa, remplacés par le son de leurs propres pensées.

Le Grand fourneau n'était plus que flammes et décombres. La sphère s'illumina au milieu des débris quand la racine mère cessa de lutter. Alors, aussi soudainement qu'elle était apparue, la sphère disparut. La racine mère heurta le sol dans un fracas assourdissant et fut réduite à néant sous le regard ébahi du Toa du feu.

De tous les coins de la cité, les Matoran virent avec émerveillement les sarments de la Morbuzakh tomber en poussière. Bientôt, il n'y aurait plus aucune trace de la plante, mis à part les dommages qu'elle avait causés. Cependant, l'anéantissement de la Morbuzakh ne ramènerait pas tous les Matoran qui étaient disparus depuis l'apparition des premiers sarments à Metru Nui.

De retour dans les ruines du Grand fourneau, Nokama regarda Vakama.

— Est-ce vraiment terminé? demanda-t-elle.

— Oui, répondit le Toa du feu. La racine mère étant morte, le reste de la plante suivra bientôt. Nous avons réussi notre première mission en tant que Toa Metru.

— Alors pourquoi restons-nous ici? demanda Matau. Apportons ces disques tout-puissants au Colisée et disons au reste du monde que nous sommes les héros Toa!

Les six Toa Metru échangèrent un regard et sourirent. L'idée de Matau semblait bonne. Après tout, malgré leurs différences, ils avaient réussi à trouver les Grands disques, vaincre la Morbuzakh et sauver leur cité. En s'éloignant de l'endroit où ils avaient connu leur première vraie victoire, ils surent qu'ils ne seraient plus jamais les Matoran qu'ils avaient été... ni même les nouveaux Toa qu'ils étaient devenus...

Ils étaient les héros de Metru Nui.

ÉPILOGUE

Turaga Vakama se leva, signifiant que son récit était terminé. Takanuva, le Toa de la lumière, se leva aussi, souriant.

— Quelle belle histoire! dit-il. Vous étiez tous les six des Matoran, comme je l'étais moi-même, et vous êtes devenus des héros. Je parie que toute la cité est venue vous acclamer!

Vakama eut un petit rire.

— Tu prêtes à mon récit une fin heureuse parce que tu souhaites qu'elle en ait une, Takanuva. Mais il y a encore bien des choses à raconter.

— Vous aviez eu une vision quand vous êtes devenu un Toa, dit Tahu, le Toa du feu. Une vision de désastre. Est-ce que le fait de vaincre la Morbuzakh a épargné ce terrible événement à la cité?

— Cela a sauvé la cité de la Morbuzakh, dit Turaga

Vakama. Nous croyions que c'était tout. Notre monde était très simple, Tahu, avec le bien d'un côté et le mal de l'autre.

— Et alors? Qu'y a-t-il de mal à ça? demanda Onua, le Toa de la terre. Nous, les Toa, avons affronté les Rahi et bien d'autres menaces pour cette île. Nous nous sommes battus pour la justice et pour défendre les Matoran et leurs villages. Nous avons soutenu la lumière et vaincu la noirceur qui s'était élevée contre nous.

— Tu es très sage, Onua, dit Vakama. Mais tu ne peux avoir que la sagesse de ton expérience. C'est pourquoi tu es ici : pour acquérir un peu de *ma* sagesse.

Il y eut un silence, que Takanuva finit par rompre.

— Il est tard. Je suppose que nous devrions laisser Turaga Vakama se reposer. Nous aurons le temps demain d'entendre un autre récit. Il y en a bien un autre, n'est-ce pas, Turaga?

— Oh oui, Takanuva! dit Vakama.

Une histoire bien sombre, ajouta-t-il en lui-même.

Tous les Toa partirent, sauf Gali, la Toa de l'eau. Elle avait toujours été sensible aux humeurs des autres et elle sentait que Vakama était troublé par quelque chose. Ce n'était pas le simple fait d'être confronté à ses souvenirs. Il semblait connaître un terrible secret et vouloir le partager, tout en étant incapable de le faire.

— Pourquoi nous faites-vous ces récits, Turaga? demanda-t-elle avec douceur. Est-ce seulement pour nous préparer au voyage vers Metru Nui et à ce qui nous attend peut-être là-bas?

— Tu connais déjà la réponse, dit-il, sinon tu ne poserais pas la question. Il y a une grande différence entre les Toa Nuva que vous êtes et les Toa Metru que nous, les Turaga, étions, il y a longtemps. Vos ennemis sont tapis dans l'ombre, mais vous savez qu'ils sont là. Ils ne font aucun effort pour cacher la noirceur de leur cœur. Pour nous, c'était… différent.

— Mais vous étiez forts, répliqua Gali. Vous avez triomphé. Vous aviez une devise pour vous guider : « Unis dans le devoir. Liés dans la destinée. »

— Oui, nous croyions tous les six avoir fait notre devoir, dit Vakama avec un filet de tristesse dans la voix. Et nous avions la certitude d'avoir accompli notre destinée. Mais notre unité? Elle ne pouvait se forger qu'au cœur du danger, des dangers bien plus grands que ceux que nous avions connus auparavant.

Vakama s'appuya sur son bâton de feu. Une fois de plus, Gali eut peine à croire que le Turaga avait été un jour un puissant Toa Metru.

— Tu vois, Toa de l'eau, nous croyions que nous savions tout ce qu'il fallait savoir pour être des héros. Nous pouvions affronter un ennemi, le déjouer, le vaincre, sauver des Matoran, même une cité. Oh, nous avions encore besoin d'entraînement pour maîtriser nos pouvoirs et nous devions apprivoiser nos masques. Mais être un héros? Nous étions sûrs de ne plus rien avoir à apprendre en ce domaine.

Vakama regarda Gali. Elle comprit alors que les yeux du Turaga avaient vu de près une noirceur plus grande que tout ce que les Toa Nuva pouvaient imaginer.

Que s'est-il donc passé à Metru Nui? se demanda-t-elle.

— Nous pensions que nous connaissions tout. Mais nous avions tort, Gali, tout à fait tort. Les vraies leçons, elles étaient sur le point de commencer pour nous.